気候危機とグローバル・グリーンニューディール

ノーム・チョムスキー
＋
ロバート・ポーリン

聞き手
クロニス・J・ポリクロニュー

早川健治〈訳〉

Fridays For Future Japan
日本語版前書き収録

地球を救う政治経済論

那須里山舎

Climate Crisis
and
the Global Green New Deal

by Noam Chomsky and Robert Pollin
with C.J.Polychroniou

First published by Verso 2020

Japanese translation published by arrangement with Verso Books
through The English Agency (Japan) Ltd.

Bookdesign
albireo

気候危機とグローバル・グリーンニューディール

CONTENTS

凡　例

一　本書は、*Climate Crisis and the Global Green New Deal The Political Economy of Saving the Planet* Noam Chomsky and Robert Pollin with C. J. Polychroniou First published by（Verso 2020）を底本とした全訳である。

一　金額の円換算は、1ドル＝110円、1ユーロ130円として計算し（　）内に表記してある。

一　原注はローマ数字、訳注は（　）をつけたアラビア数字で、それぞれ行間に示してある。

一　原注の詳細は本文末に、訳注の詳細は傍注として本文奇数ページに、それぞれ組み込んだ。

一　索引は、原著の詳細な索引をもとに修正を施して作成した。

日本語版へのまえがき　気候正義と Fridays For Future の実践

このまえがきでは、この本について私たちが重要に感じた点と、「気候正義」の実現を目指し日本で活動する Fridays For Future Japan の実践について述べる[1]。そして、実践を通じて私たちの運動がどんなオルタナティブを目指しているのか示したい。

(1) 私たちの「気候正義運動」とは何か。最大の汚染者である企業・富裕層の経済活動や政治家の行動の欠如によって、気候危機が引き起こされてきた。しかし、危機の影響を最も受けるのは、その他大多数の人々であり、特に貧困層やグローバルサウスの人々が歴史的に多大な被害を被ってきた。歴史を通じて構造的に虐げられてきた人々が存在するわけだが、最大の汚染者たちとの闘いから、この不平等を是正する運動のことだ。

日本のグリーンニューディールについて

本書はとてもリアリスティックだ。気候危機をはじめとする環境問題がどのように起こり、悪化し、人間社会はどこに向かっているのかという点を、客観的事実を用いて描写している。気候危機を議論する際、「今のままでは危ない」「地球が壊れる」という抽象的な喚起はよく聞かれる。しかし、この本はそれとは全く違ったアプローチを取っている。暗闇を見つめるように、目をつむりたくなるような現実をデータに裏付けされた逃れようのない事実として伝えてくる。こういったことは日本の気候危機についての議論では行われてこなかった。これからこの本を読もうとしている方には、グリーンニューディールという言葉を聞いたことがある方が多いだろう。しかし、この本でグリーンニューディールという言葉が使われるとき、それは日本で認識されている意味よりもさらに大きな意味を表す。グリーンニューディールと聞くと、「環境と成長の好循環」という言葉を思い出す方もいるのではないだろうか。この言葉は、2019年に当時の菅首相がカーボンニュートラルを宣言した所信表明演説やすでに閣議決定のなされた「パリ協定に基づく成長戦略としての長期戦略」で示したものである。[2] 環境対策を行うことで雇用創出やイノベーションを促し、経済成長に繋げるということを意味する言葉だ。直接紐づけられているわけではないものの、この言葉がグリーンニューディール政策の原則を表すものだという認識が現在の日本では一般的であると思う。

それに対し、本書で使われているグリーンニューディールは、気候危機の複雑さや環境問題を引き起こしたより大きな根本原因をたどることから始まる。

本書の重要な論点

チョムスキー氏とポーリン氏の二人が明らかにしているのは、気候危機は本書のテーマではありながらも、より根深く構造的な経済・社会・倫理的な問題が発現した一つの例に過ぎず、根本にある問題――私たちはこれを静かな暴力と呼ぶ――へ目を向けねば解決は難しいということだ。新自由主義政策の加速により世界においては自由市場の元で企業が環境破壊などを度外視した利益追求を行い、気候変動が加速してきた。チョムスキー氏とポーリン氏は本書の中で、気候変動や環境破壊が起こると分かっていながら問題を作り出してきた化石燃料ビジネスや化石燃料関連企業、そしてそうした企業と癒着した政府は、自然を資源として搾取するのと同じように途上国

（2） 環境省．（2019）．「パリ協定に基づく成長戦略としての長期戦略」の閣議決定について．https://www.env.go.jp/press/106869.html

や先進国に住む低所得者層の労働を搾取し、使い果たしてきたと述べている。さらに気候変動は不平等にも低所得国、低所得層や有色人種、女性、障がいを持つ人など、その影響に脆弱な人々に甚大な被害をもたらす。そうした格差構造の中において特権を得て、今までも問題を作ってきた人々が現在も未来を決定する力を握っているのだ。

それに対して政策決定の場において、格差構造によって不平等な影響を受けてきた人々の声は反映されるどころか、女性を虐げ男性中心的な社会の特権を享受してきた「おじさん達」であふれる政治の中で「存在しないもの」として扱われる。気候変動はあらゆる社会不正義の被害者をさらに苦しめる問題だ。この大きくかつ静かな暴力によって私たちは目を塞がれている。

日本国内においても静かな暴力が働いているケースは多く見られる。例えば日本のCO_2排出源の8割以上を占めるエネルギー政策を決定する経済産業省資源エネルギー庁内の総合資源エネルギー調査会基本政策分科会においては、メンバーの平均年齢は62歳、3分の2が男性だ。そしてメンバーの多くが石炭火力発電や原子力発電の継続的な利用を訴える企業の意見を反映している。政府与党においても、当時の菅政権において女性閣僚はたったの3人だった。多くの政治家が経済的に恵まれた家庭の出身で、派閥政治によって日本の政策は決定されている。こうした現在の政策決定者は、国民を気候変動から守ることよりも、脱炭素の波に対して必死に足掻(あが)こうとしている日本企業の言うことに耳を傾け、古い価値観のまま様々な計画や戦略を策定している。

こうした現在の意思決定プロセスの中では、かかる政策によって悪化しかねない気候変動で未来を脅かされている若者や市民の団体などからの意見は実質的に反映されず、文字通り「存在しない」ものとして扱われている。

日本における「公正な移行」の欠如

チョムスキー氏とポーリン氏が本書を通して特に強調しているのは、「公正な移行」だ。すなわち、気候危機を乗り越えた社会を築くために、その変化によって影響を受ける産業や労働者たちが取り残されることがないような、社会のトランジションを実現する必要がある。しかし自動車やエネルギー産業においては、公正な移行ではなく現状維持が叫ばれ、変化を起こそうと模索する行政においてもその視点は抜け落ちている。

例えば、2020年7月から始まったプラ袋の有料化は環境省のレジ袋有料化検討小委員会で議論されたが、会議はわずか4回のみで、有料化によって大きな経済的影響を受けると予想されるプラ袋を製造する企業は一度ヒアリングをされただけだった。委員には環境問題などに関する専門家が呼ばれたが、当事者同士が議論するような場はなかった。こういった形式的で予定調和的な会議は、本書で指摘されている上述のような問題に通ずるものであり、人間社会で必要不可欠な平等性を欠いた結果を生み出すだろう。実際、有料化ではプラ袋を製造する企業への補償等はなにも行われていない。こういった根本原因を放置した意思決定の方法が持つ問題は、今後の気候危機などの環境問題への政策でよりはっきりと顕在化してくるだろう。

読者の方々へ

以上のように、日本には気候正義に関わるさまざまな問題が山積しており、グローバルサウス（現代の資本主義のグローバル化によって被害を受けている国々や人々を指す）や将来世代がそのツケを払わされることになるのだが、本書では特にアメリカの事情が議論されている。しかし、だからといって本書を手に取っているであろう日本語話者に関係のない話をしているわけではない。気候危機について語られるときの反応としてよく耳にするのが「二酸化炭素を最も多く排出しているのはアメリカや中国だから、日本より前にそういった国が努力をすべきなのだ」という言説だ。そもそも気候危機の問題はある一国だけの問題ではなく、一国の振る舞いが全ての国（特にグローバルサウスの国々）に影響を与えるものであり、日本が自らの責任を免れる理由はどこにもない。確かに本書で挙げられる例はアメリカのものが中心ではあるが、読者の方には自分の身近なところに引き寄せて考えていただきたいと思う。

気候変動政策をめぐる議論の中でよく聞く言説には、他にも「再生可能エネルギー１００％なんて無理だ」「現実的に考えると、この対策は実行できそうにない」といった実現可能性に言及するものがある。確かに私たちが求める気候正義の実現はとても難しく、骨の折れるものである。しかし、だからと言ってこの問題の解決に向けて十分な対策を取らないということは、すなわちグローバルサウスの人々や将来世代の被害を容認するということであり、決して許されることではない。

本書において、チョムスキー氏もポーリン氏も現状に対して冷静に絶望している。しかし、それと同時にその絶望から抜け出せるような希望を描いてもいる。内容はいささかラディカルに思えるかもしれないが、決して絵に描いた餅ではなく、実現可能性に対する批判への一つの回答となるものだ。しかし、このようなラディカルなアイデアも、それを政策決定者に下から押し付けるだけの「力」ある運動がないと絵に描いた餅になるだろう。

そして、私たちは本書に書かれていることを単なる机上の空論と思わず、現在沈黙させられている人々の声を響かせ、人々の命が尊重される社会を作るために、想像力を取り戻す必要がある。今までの問題を作ってきた人々ではなく、当事者達が未来を描き創造していくために、本書は深く現在の問題を分析する。実践の書として、気候正義の実現に向けた運動の第一歩にしていただきたいと切に期待する。

そのためにも、私たちは本書を特に気候正義運動に興味のある・関心のある学生や若者に読んでほしい思う。

気候正義の実現を目指す Fridays For Future Japan の実践

ここからは Fridays For Future Japan の実践を紹介し、これからの展望を示していきたい。
今年4月に Fridays For Future Japan は、「マイノリティから考える気候正義プロジェクト」を発足して以来、最大の汚染者である企業や富裕層の責任を追及し、気候危機の影響を最も受ける人々と共に立ち、多くの犠牲の上に成り立つ「無限の経済成長のおとぎ話」を拒絶し、これまでとは全く違う世界を目指して活動してきた[3]。
「たくさん働き、たくさん消費する」これまでの世代の生き方は、人間と自然を犠牲にし、ついに地球規模の気候危機を招いた。日本では「四大公害病」をはじめ、公害・環境破壊が多くの人々の命を奪ってきた。そして今日も人々が「過労死・過労自死」に追いやられている。例えば、私たちが労働者と一緒に長時間労働とCO_2排出の削減を求めた自販機産業では、企業の利益のために労働者と自然が日々使い潰されている。
そんな中、親世代より貧しくなる私たちにとって、昔のような生き方には魅力のかけらもない。

富裕層は日に日に富を蓄え、その他大勢は日に日に貧しくなり、そして性差別や人種差別が激化するこの社会で、これまでのような生き方をしたいだろうか。

そしてなによりも、グローバルノースの「豊かな」生活のために、グローバルサウスで大洪水や煙霧の中で未来を奪われる同世代がいる不正義に、私たちは憤りを覚えている。バングラデシュでは、住友商事とＪＩＣＡが石炭火力事業を推進し、すでに現地では農民や漁民の生活の糧が奪われている。[4] そして発電所がフル稼働すれば、これからさらに多くの命を危険にさらす。私たちは気候危機の影響を最も受ける国のひとつであるバングラデシュの同世代と一緒に、現地で石炭火力発電所事業を増設する住友商事およびＪＩＣＡと闘っている。

活動を進めるオーガナイザーたちは全員、学生や若い労働者といった普通の若者たちだ。汚染企業との闘いを通じて、普通の若者たちが集まり、システムを根本から変える大きな力になれるはずだ。

（3）　グレタさんは「国連気候行動サミット２０１９」で、大絶滅の危機が差し迫るにもかかわらず、お金と無限の経済成長のことしか考えていない世界の「リーダー」たちを前に、批判のスピーチをした。スピーチ全文：https://www.theguardian.com/commentisfree/2019/sep/23/world-leaders-generation-climate-breakdown-greta-thunberg

（4）　No Coal Japan.（2020）．住友商事のマタバリ石炭火力発電所建設が愚策である10の理由．https://nocoaljapan.org/ja/10-reasons-why-sumitomo-matarbari-coal-plant-terrible-idea/

労働者との連帯から始まったプロジェクト

私たちの活動は、労働者たちとの連帯から始まった。今年5月1日のメーデー・国際労働者の日には「#労働者と連帯します」のハッシュタグと共に、学生や若い労働者のオーガナイザーたちがプラカードにメッセージを書き込み、ＳＮＳに投稿した。このアクションは、国内外の活動家からの支持を受け、新たな可能性を生んだ。

私たちのアクションは、すぐに労働組合との連帯アクションにつながった。6月25日には、自動販売機に飲料を補充する労働者で作る労働組合「自販機産業ユニオン」が業界全体に気候対策を求めるストライキを行い、私たちは彼らと連帯アクションを行った。

日本の自販機産業では、企業どうしの苛烈なシェア争いが起きており、街のいたる所にムダな自販機が設置されていて、一人当たりの自販機台数はヨーロッパの約４００倍にものぼる。そんな自販機産業では、グローバル企業が利益をあげるための大量生産・大量消費のために、多くの下請け労働者が過労死や過労自死、精神疾患の犠牲となり、大量に廃棄されるプラスチックや輸送による温室効果ガス排出により環境も破壊されている。需要を煽るための見せかけだけの新製品の導入により毎回廃棄されるプラスチックダミー（自販機の購入ボタンの上にあるサンプル）

と共に使い捨てられる20代・30代の労働者たちは、業界にムダな自販機の削減と労働時間の短縮、そしてCO$_2$排出量の削減を求めて、ストライキを行ったのだ。この行動に応じて、私たちはCoca Cola をはじめとするグローバル飲料企業を相手に、大量生産・大量消費を煽るような大量の自動販売機の削減を求めて、全国各地の自販機の前で抗議をしたのだ。抗議の対象となる自販機を見つけるのに時間はかからなかった。

本書でも強調されているように、気候正義運動にとって、労働運動との連帯はとても重要だ。どんな社会も、労働によって成り立っている。本来、労働とは人間が自然と関わり合いながら衣食住といった社会を維持するために必要なものを生み出すことだ。しかし私たちが暮らす資本主義社会では、労働は企業が利潤を追求するための道具に成り下がっている。利潤を最優先にするシステムは、結果として労働者の過労死や過労自死、精神疾患を招いてきた。特に雇用から弾き出されてしまったら生きていけない日本社会では、どんなに劣悪な労働条件・労働環境であっても、労働者は雇用にしがみつかざるを得ない。労働者が長時間労働を続けている限り、生活のあり方を変えて自然へのケアを行うことは不可能だ。そして大量生産・大量消費のために自然は搾取され、破壊され尽くされてきた。つまり、この社会の多数派であるはずの労働者は、企業や富裕層にとっての富を生み出すための力無き存在に成り下がり、私たちの生活を支える地球環境に対して有害な労働であっても受け入れざるを得ない状況にあるのだ。そんな中、企業の利益のために人間も環境も使い潰すシステムを変えるために、自販機産業ユニオンの労働者たちは立ち上がったのだった。

生産のあり方の変容を目指す労働運動との連帯アクションは、日本の気候正義運動にとって大きな前進だった。なぜなら、自販機産業ユニオンのメンバーと私たちの行動は、これまで隠されてきた生産の現場に焦点を当て、人間にとっても地球にとっても持続不可能な経済のあり方に疑問を呈したからだ。従来型の日本の「環境運動」は、多かれ少なかれ、「一人ひとりが出来ることをやろう」をスローガンに、個人の消費スタイルを変える啓発活動に陥ってきた。飲料業界は、大量消費を煽る一方で、消費者にリサイクルといったエコな行動変容を求めてマーケティングを行ってきた。それにより人間も自然も破壊するグローバル汚染企業の責任は隠されてきたのだ。そんな中、個人の消費スタイルを変える間接的な手法ではなく、生産過程で労働者が力を持つことは、労働者の手で直接的に気候変動への対処を行うことを意味し、普通の人々が社会を維持する力を取り戻すという大きな意義があるのだ。

労働運動と連帯する私たちの活動は、世界的な気候正義運動の潮流の中にある。例えばフランスでは、黄色いベスト運動と気候正義運動の連帯が実験的な「気候変動市民議会」へと結実し、普通の労働者や市民が気候危機と貧困の拡大への対策を提案している。これにより「週28時間の労働時間」や「熱効率の悪い賃貸の禁止」など、普通の人々の生活を安定させ、地球環境への負荷を減らしていく策が議論されている。[5] これらは企業にとっての減収になり、企業は猛烈に抵抗する。そのため、普通の人々による闘いなしには実現されない。

世界でも、日本でも、気候危機と経済格差の拡大を乗り越える普通の人々の闘いが着実に前へ進んでいるのだ。

そしてグローバルな連帯と「学校ストライキ」へ

最大の汚染者の責任を問い、今とは全く違う未来を目指す私たちの運動は国内に留まらない。今年9月24日に世界で一斉に行われた「グローバル気候ストライキ」のテーマは、先進国中心の運動を乗り越え、「最大の汚染者」である大企業や富裕層を相手に団結して闘うことだった。[6] 私たちのプロジェクトも、バングラデシュの活動家たちと連帯し、現地の人々の生活と環境を破壊

(5) Lecoeuvre, C. (2021). Work Less, Pollute Less: The Virtues of a 28-Hour Week. Trans. Lucie Elven. *Le Monde diplomatique*, June 2021. https://mondediplo.com/2021/06/13working-hours
(6) FFF Japanの公式ウェブサイトでは、グローバルサウスの活動家が中心となって書いた声明文の和訳を掲載している。今回のグローバル気候ストライキの論点がよくわかるはずだ。https://fridaysforfuture.jp/fffinternational が求めること

する住友商事とＪＩＣＡの政府開発援助（ＯＤＡ）による石炭火力発電所の増設に反対し、土地を追われた漁民・農民への補償・賠償を求めている。同時に私たちは、大企業や富裕層の利益のための開発ではなく、バングラデシュの人々が主体となった気候危機対策への援助を求めている。これらの実現のために、私たちは日本全国で「学校ストライキ」を行う予定だ。

きっかけは、私たちのTwitterにFridays For Future Bangladeshの活動家たちからダイレクトメッセージがあったことだ。住友商事と国際協力機構（ＪＩＣＡ）は、バングラデシュ南東部のマタバリで石炭火力発電所を推進し、多くの問題を引き起こしており、日本の活動家たちも一緒にこの事業に反対してほしいとのことだった。

バングラデシュでは電力供給が足りているにもかかわらず、住友商事とＪＩＣＡは現地の人々の犠牲の上に「マタバリ超々臨界圧石炭火力発電事業」を推進している。バングラデシュでは、これまで安定した電力を得られなかった家庭にも、現地の人々の手による小規模な再生可能エネルギーの導入によって電力が供給されるようになってきていたにも関わらずだ。

この発電所は、日本の平均的な新規石炭発電所の21倍の二酸化硫黄と10倍の致死性粒子を排出し、地域の人々の早期死亡率を引き上げる可能性が指摘されている。[7]

この事業を進めるにあたって、少なくとも2万人の現地住民が土地を追いやられ、生業を奪われてきた。[8] 発電所建設のために周辺の川には土砂が注がれ、漁民の多くが土地を離れ、あらゆる有害物質と危険がつきまとう船舶解体業に流れたのだった。[9]

そして言うまでもなく、バングラデシュは気候危機の影響を最も受ける国々のひとつだ。同発電所の建設は、モンスーンの際の洪水被害が悪化する原因となっている。２０１８年には、周辺31の村のうち22の村が浸水し、最大で１万５千人が被害を受け、５件の溺死事件が起こり、そのとき亡くなった全員が子どもだったのだ。[10]

また、この石炭火力発電所の操業に必要な石炭は、インドネシアやオーストラリア、そして南アフリカから、マタバリ港を通じて輸入されるようだ。そのため、ＪＩＣＡはこれらの石炭を輸

（7） Greenpeace. (2019). Double Standard: How Japan's Financing of Highly Polluting Overseas Coal Plants Endangers Public Health. https://www.greenpeace.org/southeastasia/publication/2887/double-standard-how-japans-financing-of-highly-polluting-overseas-coal-plants-endangers-public-health/

（8） Bangladesh Working Group on External Debt (BWGED). (2018). Initial Observation of BWGED on Matarbari Coal Power Plant. https://bwged.blogspot.com/2018/08/initial-observation-of-bwged-on.html

（9） Yousuf, M. (2021). The Killing of Kohelia. *The Daily Star*. https://www.thedailystar.net/frontpage/news/the-killing-kohelia-2033253

（10） Start Network. (2018). Cox's Bazar: Maheshkhali - Water logging. *ReliefWeb*. https://reliefweb.int/report/bangladesh/coxs-bazar-maheshkhali-water-logging

送するために同地域に海港も建設している。[11] この石炭火力発電所で発電された電力は、バングラデシュ南東部に計画されている巨大産業経済ゾーンで消費される予定だ。グローバルサウスの人々の命や生活、地球環境を蔑ろにし、日本を含め世界の大企業や富裕層は、自分たちの利益のために石炭火力発電所の建設や港湾施設の整備のような大規模な開発を推し進めているのだ。

こういった背景から、私たちはバングラデシュの活動家と共に、住友商事とＪＩＣＡに対して、石炭火力事業からの完全撤退と、土地を追われた漁民や農民への補償・賠償、そしてバングラデシュの人々が主体となった気候変動対策への援助・再投資を求める要求書を提出した。[12]

しかし住友商事とＪＩＣＡは私たちの要求を無視し、石炭火力発電所の建設を継続している。そのため、私たちは10月22日に「グローバル気候ストライキ」の第二弾として、住友商事とＪＩＣＡへの抗議、さらに日本各地での「学校ストライキ」を行うことにしたのだ。

私たちが学校ストを行うのには理由がある。日本の学校では、日本の国際貢献は途上国の経済を開発・発展させる良いものとして教えられる。だが現実には、バングラデシュでの石炭火力事業を見ればわかるように、日本企業の利益のための開発が現地の人々の生活と環境を破壊しているのだ。そもそも日本の高度経済成長は、日本以外のアジア諸国の犠牲なくして成り立たなかった。学校では本当のことを教えてくれないのだ。

そのため、私たちは学校を抜け出して、街や広場、公園に集まり、日本の国際貢献の真実を自分たちで学び、知を取り戻そうと決めた。今までとは全く違った方法で、自分たちの力でグローバルサウスの人々と連帯する方法を探るのだ。

さいごに　気候正義を求めて闘うグローバルな運動のオーガナイジングを！

私たちは、普段思わされているほど力無き存在ではない。気候危機が加速し、資本主義の矛盾が激化するなか、私たちは希望を失っていない。なぜなら、私たちは気候正義運動を通じて、社会を変える力を取り戻し始めているからだ。当時15歳だったグレタさんは、たったひとりで学校ストライキをし、現在では世界各地の同世代がシステムチェンジを求めて学校を抜け出している。今や Fridays For Future は、グローバル汚染企業にとっての大きな脅威となってきている。同じ目的のために仲間を集め、団結するオーガナイジング（組織化）の力があるからだ[13]。

（11）日本貿易振興機構（ＪＥＴＲＯ）．（２０２１）．日系企業開発のマタバリ港に初の外航船が到着．https://www.jetro.go.jp/biznews/2021/01/a9f925604bdfedde.html

（12）気候正義プロジェクトと FFF Bangladesh による、住友商事とＪＩＣＡへの要求書．https://note.com/fffjapancjfm0518/n/ne44ce436442d

（13）活動家集団による社会運動の組織化を通じて、普通の人々が力を取り戻すイメージは、アリシア・ガーザ著『世界を動かす変革の力　ブラック・ライブズ・マター共同代表からのメッセー資本主義社会でバラバラにされ、力無き存在にさせれてきた私たちは、政治家や官僚、そして経営者こそが社会を変える存在だと思い、彼らの良心へ淡い期待を寄せてしまうかもしれない[14]。しかしすでに見てきたように、社会を変える大きな原動力は、普通の市民や労働者にあるのだ。そして、そこには運動の組織化を進めるオーガナイザー（組織者）がいる。例えば、普通の市民と労働者の怒りがフランス全土を焼き尽くした黄色いベスト運動と若者の気候正義運動が連帯できたのは、活動家たちが労働者に働きかけ、組織化を行ったからだった[15]。

オーガナイザーになるには学歴も資格も必要ない。「社会を変えたい」という熱い思いがあれば誰にでもなれる。Fridays For Future には、10代・20代の若いオーガナイザーがたくさんいる。私たちは、企業や国の大きな力に束ねられるのではなく、Fridays For Future のように自由な意志で集団を作り、システムを根本から変える大きな力になれるはずだ。

２０２１年10月　Fridays For Future Japan

ジ』（人権学習コレクティブ監訳、明石書店、２０２１年）を参照。
(14)　どんな社会も労働によって成り立っているので、本来ならば労働者には社会を変える大きな力があるはずだ。しかし現実には資本主義社会でバラバラにさせられた労働者たちは、「袋一杯のジャガイモ」のように力無き存在になっている。その中から自然発生的に運動が生まれてくるのではなく、本書で紹介されているトニー・マゾッキのようなオーガナイザーたちが労働者の中から能動的な運動を形成するのだ。このためチョムスキー氏は、「袋一杯のジャガイモ」というマルクスの言葉を引用して組織化の重要性を訴えている。
(15)　２０２１年１月にＮＨＫで放送されたドキュメンタリー「クライメート・ジャスティス パリ〝気候旋風〟の舞台裏」は、黄色いベストと若者の連帯を実現した、若い活動家による組織化の過程を描いている。このような地道な組織化は、世界各地で若者の手によって行われているのだ。

序文

クロニス・J・ポリクロニュー

文明的社会秩序が誕生して以来、人類は飢餓や自然災害（洪水、地震、火山噴火等）、奴隷制や戦争など、実に様々な課題や致命的脅威に直面してきた。20世紀前半にも、人類は二度も世界大戦を経験し、史上最悪の大虐殺体制が台頭した。20世紀後半には、核戦争による絶滅という脅威がダモクレスの剣のように人々の頭上に吊るされ続けた。本稿執筆時点である2020年4月現在、私たちは新型コロナウイルスの世界的流行とこれに付随する経済崩壊に直面している。パンデミックによって最終的に何人の人たちが亡くなることになるのか、現時点ではまだ誰にもわからない。また経済不況がどれほど深刻な影響をもたらすことになるのかも解っていない。兆候を見る限り、その深刻さは少なくとも2007年～2009年の大不況には匹敵し、場合によっては1930年代の世界恐慌にすら比肩するかもしれない。

以上を踏まえた上で言うが、気候変動は人類史上最悪の実存的危機を招くだろうという主張にはかなりの根拠がある。主にエネルギー産出目的による石油、石炭、そして天然ガスの燃焼から二酸化炭素やその他の温室効果ガスが発生し、これが蓄積して世界各地の平均気温を上昇させていく。地球温暖化が進むと、猛暑、豪雨、干ばつ、海面上昇、そして生物多様性の喪失が悪化し、これによって健康、暮らし、生計、食料安全保障、水の供給、そして人間生活の安全性が脅かされる。他方では気候変動否定論が特にアメリカを始め世界の人々の心を虜にしている。その一因として、化石燃料産業界による数十年にもおよぶ絶え間ないプロパガンダ運動と世論のかき乱しが挙げられる。また2016年にヒラリー・クリントンを破ってホワイトハウスに駆け込んだ「最高気候変動否定官」ドナルド・トランプの番狂わせな勝利も問題を悪化させた。トランプ大統領は地球温暖化を「作り話」だと言い、2015年パリ協定からアメリカを離脱させるという極端な行動をとった。これはオバマ政権下のアメリカを含む世界195カ国が承認した協定だ。

人々が地球温暖化という現実から逃避しようとするとき、そこには未知なるものへの恐怖や雇用喪失への不安が働いている。これは重要なポイントだ。だからこそ、気候危機への有効な対策は、労働者が無炭素経済へ無理なく移行できるような措置を含むべきだ。グリーンニューディール構想はすでに広く議論されているアイデアだが、そこには具体的に次の項目を組み込む必要がある。

1. 温室効果ガスの削減に関しては、最低でも気候変動に関する政府間パネル（IPCC）

が2018年に設定した目標を、すなわち2030年までに45％削減、そして2050年までに排出量実質ゼロという目標を達成すべきだ。

2。投資に関しては、省エネ基準を格段に向上し、太陽光、風力、そしてその他のクリーンエネルギー源の供給量を格段に増やすような投資によって、世界各地におけるグリーン経済への移行を牽引すべきだ。

3。グリーン経済への移行に際しては、化石燃料産業の労働者やその他の社会的弱者を、雇用喪失という不運や経済的困窮という不安にさらしてはいけない。

4。経済成長は持続可能かつ平等主義的な仕方で実現されるべきだ。すなわち、気候安定化という目標は、世界各地の労働者や貧困層の雇用の機会の拡充や広範な生活水準の引き上げといった同等に大切な目標と一緒に実現されるべきだ。

以上の四つの原理に基づくグローバル・グリーンニューディールこそ、地球平均気温の継続的上昇がもたらす悲惨な影響を回避するための現実的な解決策として唯一のものだ。このような筋の通ったグリーンニューディール構想が欠如していたため、これまで行われてきた国際気候サミットは、2019年12月にマドリードで開催された国連主催の第25回気候変動枠組条約締約国会議（COP25）も含め、世界を気候安定化の軌道に乗せることに失敗してきた。2015年にパリで行われたCOP21は広く賞賛されているが、これでさえも結局のところ儀礼的なレベルの行動にしか帰結していない。こうした失敗のせいで、世界はすでに産業革命以前と比べ摂氏1度（華氏1・8度）ほど温暖化しており、この先10年から20年以内には摂氏1・5度（華氏2・7度）の温暖化に到達してしまう見込みだ。

気候変動を放置した場合に起こる壊滅的な現象について、ノーム・チョムスキーとロバート・ポーリンの両著者は本書で入念に分析している。ノーム・チョムスキーは言わずと知れた人物であり、半世紀にわたって世界で最も重要な公共知識人の一人であり続けてきた。チョムスキーは現代言語学の創始者としても知られている。言語学におけるチョムスキーの功績は、数学、哲学、心理学、そしてコンピューター科学を含む多くの分野に深い影響を与えた。ロバート・ポーリンは世界的に有名な進歩派経済学者であり、10年以上にわたって平等主義的なグリーン経済の実現をめぐる闘争を牽引してきた。膨大かつ重要な著作群に加え、ポーリンはアメリカの各州や海外諸国におけるグリーンニューディール構想の実施に関する研究にも取り組んできた。また、ポーリンは2009年アメリカ復興・再投資法のグリーン投資の部分の実施に関してエネルギー省の政策顧問も務めた。オバマ政権のこの経済刺激策には、再生可能エネルギーや省エネへの投資財源として900億ドル（9・9兆円）が含まれていた。

ポーリンは本書でグローバル・グリーンニューディール構想を描いてみせているが、チョムスキーもこれを力強く支持している。ポーリンも示しているように、先述の本構想が満たすべき四つの基準は、少なくとも技術的・経済的障壁の高さだけ見れば十分に達成可能だ。しかしながら、どの技術的・経済的課題もしのぐほど困難な課題が一つある。世界の化石燃料産業の巨大な利権と財力を打ち倒すために必要な政治的意志をどう作り上げていくかという、非常に高い障壁が存在するわけだ。

本書は4章構成となっている。第1章「気候変動の実像」では、まず過去に人類が直面してきた様々な危機の文脈で地球温暖化という課題の位置づけがなされている。その後、本章では「市場主導の気候危機対策案はなぜ失敗が約束されているのか」「気候安定化へと近づく上で工業型農業に代わる農業が最重要となる理由は何なのか」といった主要問題が批判的かつ詳細に考察されている。

第2章「資本主義と気候危機」では、資本主義、環境破壊、そして気候危機の相互連関について明瞭な理論的・実証的議論が展開されている。そこでは、資本家による獰猛なまでの利益追求を気候安定化という義務と両立させる道はあるのかという問題に関して豊かな洞察が提示されている。また本章では、過去の政治活動が危機解決にほとんど寄与できなかった理由も考察されている。

第3章「グローバル・グリーンニューディール」では、グリーン経済への移行を成功させるために必要な構想が描かれている。そこではポーリンがグローバル・グリーンニューディールの各部を素描し、財源論を展開している。また、40年間にもおよぶ世界新自由主義時代がもたらした長期的な格差拡大に対して、本構想が防御壁の役割を担い得るという点も示されている。ポーリンはさらに欧州連合（EU）が「欧州グリーンディール」と呼ぶ計画を批判的に検証してもいる。本章の結論部では、地球温暖化の壊滅的な影響が時間と共に深刻化する中で、グローバルサウスから数百万人もの人々がグローバルノースの高所得諸国へと移住するという悪夢のようなシナリオについてチョムスキーが語っている。

第4章「地球を救うための政治参加」が本書の最終章だ。気候危機は世界の勢力均衡にどのような影響を与えうるのか。「緑の未来」の実現に向けて人々の政治参加を促す際に、エコ社会主義は政治的・イデオロギー的展望として有効なのか。気候変動と2020年のコロナウイルスの世界的流行の間にはどのようなつながりがあるのか。本章ではこうした問題が扱われているわけだが、そこには一つの共通課題が通奏低音として鳴っている――「グローバル・グリーンニューディールの実現に向けた政治参加をうまく盛り上げていくためには、具体的に何をすべきなのか」という課題だ。

あなたが今手にとっているこの小さな本は、とても大きな意味をもっていると私は思う。専門家や活動家や一般読者を含むあらゆる人々にとって、本書は考えるヒントを提供してくれている。

公的議論を盛り上げ、これを世界各地の各社会の各層にまで浸透させていく必要がある。本書はその作業へのささやかな貢献だ。この世界規模の対話（グローバル・ダイアローグ）を少しでも前へ押し進めることは、私たちが将来世代に対して担うべき最低限の責務だと言えよう。この点を留意しつつ、ノーム・チョムスキーとロバート・ポーリンの両氏には、地球を救うために私たちができることの啓蒙という旅のお伴をさせていただけたことに対して、改めて心から深く感謝したい。

2020年4月

第1章　気候変動の実像

ここ数十年間で、気候変動問題は人類が直面する最も深刻な実存的危機として、また世界各国の政府にとって最も困難な社会問題として立ち現れてきました。そこでチョムスキーさんに質問です。気候変動について現在分かっていることを考慮に入れた上で、過去に人類が直面した他の危機と気候変動危機との関係を要約していただけますか。[i]

ノーム・チョムスキー　まず、現代において人類が直面している諸問題はどれもすさまじいものであり、人類史上でも類を見ないものである、という点を見落とさないようにしよう。現代人は、この先も組織立った人間社会が形を崩さずに存続していけるかどうかという問題に答えを出すよう求められている。答えを先延ばしにする余裕もだいぶなくなってきている。

未来には新しく深刻な課題が待ち受けている。歴史を振り返ってみれば、そこにはむごたらしい戦争や筆舌に尽くし難い拷問、そして大量虐殺だけでなく、ありとあらゆる形で基本的人権が踏みにじられてきた記録が見つかるだろう。しかしながら、組織立った人間生活そのものが跡形もなく破壊されてしまう危険性というのは今回が初めてだ。これを乗り越えていくためには、世界が一致団結して課題に取り組む必要がある。もちろん、責任の重さは能力の高さに比例する。数世紀にわたって危機を醸成し、人類を暗鬱とした未来へ引きずり込みつつ私腹を肥やしてきた者たちには、特に大きな責任が課される。これは基本的な道徳観に従えば明らかなことだ。

　こうした諸問題は１９４５年8月6日に一気に顕在化した。広島への原爆投下は、それだけでは全人類の存続を脅かしはしなかったものの、実にむごたらしい惨状をもたらし、パンドラの箱を開け、人類の殲滅が可能になるような段階にまで科学技術が発展する可能性を示唆していた。それは１９５３年の熱核兵器の爆発によって実現した。そのとき、『原子力科学者会報』の世界終末時計は「真夜中まであと2分」を指し示した。真夜中とは人類絶滅のことだが、再び2分前まで長針が動いたのはトランプ大統領の就任1年目のことであり、その翌年を『会報』は「ニュー・アブノーマル」（新たな非日常）と呼んだ。[ii] これはしかし早まった判断だった。というのも、トランプ大統領のリーダーシップのおかげもあって、２０２０年1月に世界終末時計は今までで一番真夜中に近くなったからだ――「真夜中まであと１００秒」となり、もはや単位が分から秒へ変わった。ここではこれ以上この暗鬱な歴史へは深入りしないでおくが、歴史を見れば誰にでも明らかなように、今に至るまでの人類の生存は奇跡のようなものだ。それにも関わらず、人類は自滅への道をさらなる勢いをつけて突き進んでいる。

最悪の事態を避けるための努力も行われており、それはある程度の成功を収めてもいる。中でも次の４つの主要軍縮協定は特筆に価する――弾道弾迎撃ミサイル制限（ＡＢＭ）条約、中距離核戦力全廃（ＩＮＦ）条約、領空開放（オープンスカイ）条約、そして新戦略兵器削減（ニュースタート）条約だ。(1)２００２年にブッシュ・ジュニア政権はＡＢＭ条約から脱退した。２０１９年８月にトランプ政権はＩＮＦ条約から脱退したが、これは広島の原爆の日にほぼ完全に合わせたタイミングで行われた。またトランプ政権はオープンスカイ条約とニュースタート条約も維持

(1)　ABM, INF, Open Skies, and New START　冷戦期のアメリカとソ連による軍備拡張競争によって生産された大量の破壊兵器やその他の軍備を縮小し管理する目的で締結された条約。ＡＢＭは１９７２年に、ＩＮＦは１９８８年に、オープンスカイは２００２年に、そしてニュースタートは２０１０年にそれぞれ締結された。冷戦中のピーク時の大陸間弾道ミサイルの所持数はアメリカ３０００発以上、ソ連５０００発以上だったと推計されている。２０２１年現在はこれがアメリカ約４００発、ソ連約２８０発にまで縮小した。参考文献：Robert S. Norris and Hans M. Kristensen, "Nuclear U.S. and Soviet/Russian Intercontinental Ballistic Missiles, 1959-2008," *Bulletin of the Atomic Scientists*, 65: 1, 2009, 62-69; Mitsuru Kurosawa, "Progress in Nuclear Disarmament during the 50 Years of the NPT," *Osaka University Law Review*, 68, February 2021, 1-24.

しない姿勢を表明している。[iii] 行く手を阻むものがなくなったら、あとは終末戦争に向けて一目散に走っていこうというわけだ。

一連の出来事の「道理」――仮にそれが純粋な狂気を表す言葉として適切ならば――は、アメリカのＩＮＦ条約からの脱退、そしてそれに続くロシアの想定どおりの脱退から見て取れる。この重要な条約は１９８７年にレーガンとゴルバチョフによる交渉から生まれ、ヨーロッパ戦争が（ひいては世界戦争や終末戦争が）勃発する危険性を大きく下げた。アメリカ側は「ロシアは条約を破っている」と主張し、メディアはそれをそのまま繰り返し報じているが、ロシア側もアメリカが条約を破っていると主張しているという点は見落とされている。アメリカの科学者たちはロシア側のこの主張を重く受け止めており、この分野の権威である『原子力科学者会報』にもこれを分析した重要な論文が発表された。[iv]

正常な世界においては、両国は外交の道を歩み、それぞれの主張を吟味するために第三者専門機関を招きいれ、１９８７年にレーガンとゴルバチョフがしたような形で最終的な合意へ到達しようとするだろう。異常な世界、狂った世界においては、条約は廃止され、両国は今まで以上の危険や不安定をもたらすような新しい兵器の開発を意気揚々と進めるだろう。そこには、例えば極超音速ミサイル(2)のような、現段階では防衛手段がない兵器も含まれるだろう――そもそも大規模兵器システムへの防衛手段などというものがありえるかどうかさえ疑わしいが。

これこそ私たちが今いる世界だ。

ＩＮＦ条約と同じように、オープンスカイ条約もまた共和党の発案によるものだった。アイゼンハワー大統領が原案を提示し、ジョージ・Ｈ・Ｗ・ブッシュ大統領（ブッシュ・シニア）がこれを実施した。この頃の共和党はギングリッチ以前の政党であり、正常な政治組織として機能していた。アメリカ企業公共政策研究所（ＡＥＩ）の権威ある政治アナリスト、トーマス・マンとノーマン・オーンスタインは、１９９０年代のニュート・ギングリッチ[3]隆盛以降の共和党はもはや正常な政治政党ではなく「急進派反政府運動」であり、議会政治をかなりのところまで放棄していると述べている。[v] ミッチ・マコーネルの指揮下でこの傾向はさらに顕著になってきており、

（２）　hypersonic missiles　マッハ５以上で飛行する高機動性ミサイルの総称。既存の防衛システムでは迎撃できない新技術であるとされている。日本では２０１０年代以降、毎年数十億円もの開発予算が投じられている。アメリカ、中国、ロシア、インドなども積極的に開発している。ただし、核抑止論の文脈では極超音速ミサイルは既存のＩＣＢＭと大差ないとする専門的見解もある。参考文献：Nathan B. Terry and Paige Price Cone, "Hypersonic Technology: An Evolution in Nuclear Weapons?," *Strategic Studies Quarterly*, 14: 2, 2020, 74-99.

（３）　Newt Gingrich　１９９４年に下院において40年ぶりに民主党を打倒し共和党を第一党にした政治家。現在のアメリカ共和党の大衆動員型劇場政治の先駆者としても知られており、極端な党派政治や二極化、また有権者の感情を揺さぶる巧みなレトリックの洗練などを推進した。

共和党の内部はマコーネルに胡麻をする人間であふれかえっている。

軍縮関連団体を除けば、INF条約の廃止に対する人々の反応は薄かった。とはいえ、皆が皆そっぽを向いているわけではない。軍需産業界は、大量破壊の道具を開発するための潤沢な契約を新たに結べることを露骨に喜んでいる。その中には先見の明の持ち主もいて、悠々と化け物を作り出した後、今度はそれに対抗しうる（あるいはほぼ無謀な）防衛手段の開発をするための巨額の契約を勝ち取ろうと長期的計画を練り上げている。

トランプ政権はすぐに条約廃止を誇らしげに自慢した。その数週間後に、国防総省（ペンタゴン）はINF条約に反する中距離弾道ミサイルの発射実験の成功を粛々と公表した。それは他国に同じことをするよう呼びかけたも同然だったが、その行く末は誰の目にも明らかだろう。[vi]

元国防長官のウィリアム・ペリー[4]は、キャリアを通じて核兵器問題に取り組んだ人物であり、大言壮語を慎む性格の持ち主だが、彼は少し前に「恐怖を感じている」と、いや、背筋が凍るような恐怖を感じていると言った。戦争勃発の危険性の高まりと、それへの世間の関心の無さに対してだ。しかし現状はこれよりもさらに恐ろしい。というのも、人類滅亡への道を突き進んでいる人たちは、自分たちがしていることの恐ろしさをはっきりと自覚した上でなおそれを続けているからだ。この人たちは、生命維持環境の破壊にも同じように全力を挙げている。

網は広く張り巡らされている。トランプ政権はその最も悪質で危険な例だが、問題は政策立案者たちに留まらない。大手諸銀行は化石燃料抽出に巨額の資金を流し込んでおり、有名学術誌もまた、排出量を大幅に削減しない限り人類を滅ぼしかねないようなあの物質を、アメリカは魔法の新技術のおかげで世界の誰よりもたくさん作り出せるようになったぞという調子の論文を次から次へと印刷している。この人たちの辞書に「気候」の二文字はない。

科学者たちは地球外知的生命体を探すときにフェルミのパラドックス[5]にぶち当たる。そもそも地球外生命体はどこにいるのかという問題だ。宇宙物理学では、知的生命体はどこか遠くに存在するはずだとされている。物理学者の言い分はあるいは正しいかもしれない。知的生命体は実際に存在し、地球という惑星の奇妙な住人たちを発見した後、賢明に距離を置いているのかもしれ

（４）　William Perry　数学博士、工学者、実業家、政治家。第一期クリントン政権下で国防長官を務めた。政界引退後は大量破壊兵器による惨事の防止を推進する団体「核脅威イニシアチブ」を立ち上げ、技術的な角度から核兵器廃絶運動や平和運動に貢献している。

（５）　Fermi's paradox　１９５０年に物理学者エンリコ・フェルミがロスアラモス国立研究所で同僚たちと昼食中に議論したと言われているパラドックス。「理論上は地球外にも高度文明が存在する確率が高いにも関わらず、経験的には地球外から地球への知的生命体の到着の証拠は存在しない」という考えがその中核を成す。対して、「これはフェルミの発案でもなければ、パラドックスでもない」とする批判的立場もある。参考文献：Robert H. Gray, "The Fermi Paradox Is Neither Fermi's Nor a Paradox," *Astrobiology*, 15: 3, 2015, 195-199; Duncan H. Forgan, *Solving the Fermi Paradox* (New York: Cambridge University Press, 2019).

ない。

人類存続への第二の脅威に話を戻そう——地球環境破壊という大惨事だ。

当時の人々にはその自覚はなかったが、第二次世界大戦後は第二の脅威についての転換期でもあった。地質学者たちは戦後期を「人新世」(6)の始まりとして位置づけている。人類の活動が地球環境に深く甚大な影響を与えるような新しい地質時代のことだ。人新世作業部会は2019年5月に同時期を開始年代とする票決を行った。[vii] 現代においては、脅威の重大性や危急性を示す証拠は疑いの余地が無く、極端な否定論者でさえ暗黙の内にこれを認めている。これについては後述する。

では、この2つの実存的危機はどのように関係しているのだろうか。オーストラリアの気候科学者、アンドリュー・グリクソン(7)は簡明な答えを与えている。「地球規模の緊急事態と闘っているのはもはや気候科学者たちだけではなく、その影響は軍需産業体制にまで波及している。それにも関わらず、世界の軍事費は未だに年間1・8兆(198兆円)ドルにのぼっている。この資源は本来ならば地球上の生命の保護に使われるべきだ。中国海やウクライナ、そして中東において大規模紛争の兆しが見えてきている中で、地球を守るために立ち上がる者は誰もいないのか[viii]」。

立ち上がる者は誰もいないのか。本当にそう思う。

気候科学者たちは事態を注意深く見守っており、はっきりと警鐘を鳴らしてもいる。オックスフォード大学の物理学教授、レイモンド・ピエールハンバート[8]は、気候変動に関する政府間パネル（ＩＰＣＣ）の２０１８年報告書の筆頭著者だ（この報告書はその後さらに切迫した警告へと更新された）。彼は既存の状況や選択肢を俯瞰しつつこう論考を始めている。「何よりもまず次のことを率直に申し上げておきます。私たちは気候危機に対して焦燥感を抱くべきです。……深刻な状況に陥っているのですから」。その後彼は議論の詳細を慎重かつ綿密に展開し、考えうる技術的解決策の内容と大きな問題点を逐一吟味し、「代案は存在しない」という結論を出している。[ix]
私たちは一刻も早く二酸化炭素排出量実質ゼロ[9]を達成しなければならない。

（6）　Anthropocene　生態学者ユージン・ストーマーが１９８０年代後半に造った新語。その後、人間活動が地質営力となった新たな地質年代を指す言葉として普及した。従来の気候科学では「人類世」という訳語が当てられてきたが、本書では最近の慣習に従い「人新世」を採用した。
（7）　Andrew Glikson　オーストラリア国立大学地球科学教授。鉱物学研究者としてキャリアをスタートさせ、１９８５年にはオーストラリア鉱物資源局（ＢＭＲ）の主任科学者に就任した。以後、地質学や地球科学における最新技術の先端的研究に携わり続けている。
（8）　Raymond Pierrehumbert　オックスフォード大学物理学教授、ＩＰＣＣ評価報告書筆頭著者。地球のみならず系外惑星も含め、惑星レベルでの気候の変化の数理的モデリングを専門とする。また水蒸気と気候の関係についても功績を残している。
（9）　zero net carbon emissions　「Net Zero」「カーボン・ニュートラル」とも表現される。二酸化炭素に相当する温室効果ガスの排出量を削減しつつ、排出される分に関しては吸収（オフセッ気候科学者たちが発しているこの深い懸念の声は、現実逃避さえしなければ誰にでも簡単に聞き取れるだろう。2019年の感謝祭を記念して、CNNは『ネイチャー』誌に当時発表されたばかりの重要な研究に関する詳しくて正確な報道を行った。それは地球温暖化のもつ悲惨な影響がもはや不可逆になってしまう状態、いわゆる「臨界点」に関する研究だった。研究論文の著者たちは、複数の臨界点とその相互関係の考察から次のような結論を導いている。「私たちは気候危機の渦中にいる。今年は気候活動[10]の早急な実行を叫ぶ声が大きく響いた年だったが、本論もこれを後押しするものである。……事態の危険性と緊急性はますます高まってきている。……地球の安定性と耐久力が危険にさらされている。この状況は言葉だけでなく国際規模の行動へと反映される必要がある[x]」。

著者たちはさらに続けてこう警鐘を鳴らしている。「大気中の二酸化炭素はすでに400万年前の鮮新世以来の高さにまで達している。これは急激な上昇を続けており、5000万年前の始新世以来の高さにまで到達しようとしている。始新世の気温は、産業革命前の頃と比べて摂氏14度も高かった」。とても長い時間をかけて起こった現象が、人間活動によってわずか数年にまで短縮されてしまっている。既存の予測はそのままでも十分に暗鬱としたものだが、これすらも臨界点の効果を考慮に入れることができていないと著者たちは指摘している。

著者たちの結論はこうだ。「臨界を防ぐために残された時間は、あるいはすでにゼロになってしまっているかもしれない。排出量実質ゼロを達成するまでに残された反応時間は最高でも30年だ。つまり、私たちはすでに臨界を回避する能力を失ってしまった可能性がある。臨界による被害の累積とそこから生じるリスクに対してはまだ制御の余地が残されているが、これは不幸中の幸いと言うべきだろう」。

あくまで「余地」であり、一刻の猶予も許されない状況だ。

世界が傍観を続ける中、私たちは想像を絶する惨事に向けて突き進んでいる。12万年前という、海面が現在に比べ6メートルから9メートルほども高かった時代の地球の気温にまで達する勢いだ。[xi] 本当にこれは想像を絶する展望と言う他はない。そのような状況を人間社会が何とかかいくぐれたとしても、より頻繁かつ暴力的な嵐が残骸もろともそれを吹き飛ばしてしまうだろう。

12万年前の環境の再来をもたらす不穏な諸要因の一つとして、南極西部の巨大な氷床の融解が挙げられる。氷河は1990年代の5倍もの速度で海へ流れ込んでおり、海温上昇の影響で氷河の厚みが100メートルも失われた場所もある。こうした喪失は10年ごとに倍化している。南極

ト）や貯留（キャプチャー）などによって大気圏からこれを取り除き、実質の排出量をゼロ以下にする戦略のこと。

(10)　climate action　「気候変動防止対策活動」の略称として2010年代以降英語圏で積極的に用いられるようになった言葉。本書では「気候活動」という略語を採用した。

西部の氷床が完全に融解してしまった場合、海面は5メートルほど上昇する見込みだが、沿岸部の都市が海に沈むだけでなく、他にも目を覆いたくなるような影響が至るところに生じるだろう。バングラデシュの低平地がその一例だ。[xii]

目の前で起こっていることにしっかりと向き合っている人たちにとっては、これですら多くの懸念材料の一つにすぎない。

気候科学者たちの警鐘は至るところに鳴り響いている。イスラエルの気候科学者、バルーフ・リンケヴィッチ[11]は、全体の雰囲気を的確に言い表している。「『我が亡き後に洪水よ来たれ[12]』とは言い得て妙だ。多くの人たちは、この問題を十分に理解できていない。……すべてが変わってしまうということを理解できていないわけだ。空気も、食べ物も、飲み水も、この風景や地形も、海も、季節も、日常も、生活の質も、すべてが変わる。私たちの子孫はこれに適応するか、さもなければ絶滅の危機に瀕するだろう。……そのような環境に生きるのはご免だ。ありがたいことに、それが実現する頃にはもう私はこの世を去っている」[xiii]。

リンケヴィッチと彼の同僚たちはイスラエルが直面しうる「最悪の事態」をいくつか議論しているが、中には楽観的な人もちらほら見受けられる。例えば、彼の同僚の一人はこう洞察している。「イスラエルはモルジブ共和国のような国ではないので、当面は海に沈む心配をしなくてよい」。なんとも嬉しいニュースではないか。それでも彼らは、イスラエル周辺地域がほぼ居住不可能な状態になるだろうという点で見解が一致している。「イランやイラク、そして発展途上国では、都市が概ねもぬけの殻となるだろう。それでも、我が国は居住可能な状態を保てるだろう」。地中海における気温は摂氏40度（華氏１０４度）という「ジャグジーの許容上限温度」にも達する見込みであり、「ウニやマキガイのように人間が生きたまま茹でられてしまう心配こそないものの、海水浴シーズンのピーク時には死者が出る可能性がある」。最善のシナリオが実現すれば、周辺地域にまでとは言わずとも、少なくともイスラエルにはまだ希望があるわけだ。

アロン・タル教授[13]は本質を突いた指摘をしている。「私たちは地球環境を日に日に悪化させている。ユダヤの国は人類が直面する究極の課題を直視してこう言い放った――『どうしようもない[14]』とね。私たちは子孫に向けてどう弁解すればよいのだろうか。生活水準を高めるためにこの

（11） Baruch Rinkevich　イスラエル海洋湖沼学研究所所属の海洋生物学者、生態学者。無脊椎海洋動物の免疫学や珊瑚礁の再生に関する研究を専門とする。

（12） After us, the deluge　フランス王、ルイ15世の愛人のポンパドゥール侯爵夫人の言葉。後にマルクスの『資本論』にも資本家の態度を表現する言葉として批判的に引用されている。

（13） Alon Tal　テルアビブ大学公共政策学科主任教授。環境法律学、環境歴史学、気候政策学等々を専門としており、人口爆発問題から水や土地の持続的利用まで幅広い主題に関する研究書を著している。イスラエルにおける環境保護運動の第一人者としても名高い。

道を選んだとでも言うつもりだろうか。経済的な利益になるから天然ガスを海から吸い尽くしたとでも弁解するつもりだろうか。これらは馬鹿げた言い訳だ。私たちは人類の運命を左右する問題と向き合っている。地中海沿岸部にとっては特に深刻な問題だ。ところが、イスラエル政府は人類が煮物になってしまう危険性を真剣に受け止められるような首相や大臣を任命できずにいる[xiv]」。

タルの指摘は正しく、そして深い絶望をもたらすものだ。「人類が直面する究極の課題を直視して」もなお「馬鹿げた言い訳」を受け入れたり「どうしようもない」などと言い放ったりする能力を、人間は心のどこに隠し持っているのだろうか。着実に迫り来る地球環境破壊という惨事に対しても、一気に人類を破滅に陥れるような新たな道具の開発に対しても、人間はこのような反応をする。軍事費に1・8兆ドル（198兆円）もの金額を投じておきながら――これはほぼ完全にアメリカの責任だが――「地球を守るのは誰の役割なのか」という問いを無視する力を、人間という生き物は一体どこに秘めているのだろうか。

タルの主張は一般化ができるが、少し強すぎるところもある。というのも、手遅れになる前に行動を起こそうと本気で努力をしている国や地域も存在するからだ。実際、状況はまだ手遅れではない。自己破壊の手段の増産という狂った競走に対する解決策は、少なくとも理論上はわかりきっているが、これを実践するとなると話は別だ。また、行動が強い意志を伴えば、迫り来る環境破壊という惨事を和らげる時間もまだ残されている。事実と向き合う態度さえあれば、こうした行動もまったく不可能ではない。１９４１年にアメリカは今ほどではないにせよそれでも深刻な脅威にしっかりと向き合い、大衆の主体的動員によってそれに対処した。その力強さたるやすさまじく、当時のドイツの経済監督者、アルベルト・シュペーア[15]さえも深く感心させ、国家規模の任務の遂行に関してはドイツの全体主義社会も自由な社会における主体的な献身には到底適わないと嘆かせたほどだ。

現代の課題は巨大だが、それでも１９４１年の課題ほどの重荷ではないとする見解もある。経済学者のジェフリー・サックス[16]は、丹念な研究に基づいて次の結論を述べている。「一部の見解

(14)　'Forget it'　慣用句だが、軽い一言であるがゆえにニュアンスの訳出が難しい。問題の軽視、現実逃避、諦め、希望的観測、見てみぬふりをしたいという願望などが、この二語に凝縮されている。

(15)　Albert Speer　第二次世界大戦中にナチス政権の帝国内閣軍需大臣を務めたが、戦後ニュルンベルグ裁判において懲役20年の刑に処された。なおここでのチョムスキーの引用元は正しくはヴォルター・フンクだと思われる。フンクは戦時中の経済大臣を務め、１９４２年にはベルリン大学での「欧州経済共同体」会議において次のように述べている。「食料や原料の自給、国際金融権益からの脱却、そして人々の経済への個人による主体的な服従にこそ、私たちは今日、真の経済的自由の片鱗を垣間見ることができるのです」。参考文献：David P. Blake, "Striking Similarities: The Origins of the European Economic Community," *Social Science Research Network*, 2020.

とは異なり、脱炭素化は第二次世界大戦のような大規模な動員をアメリカの経済に要求するものではない。脱炭素化の増分費用を見ても、アメリカのGDPの1〜2%ほどが2050年まで毎年通常のエネルギー費に上乗せされるだけだ。対して、第二次世界大戦における連邦経費は、戦前である1940年にはGDPの10%だったものが戦中にはGDPの43%にまで膨らんだ[xv]。

解決策の実行は可能だが、ここで私たちは歴史の残酷な皮肉に直面する。人類の「究極の課題」に立ち向かうために今こそ全力をあげて一致団結すべきところを、人類史上最強の国家のリーダーたちは、自分たちがしていることを十分に自覚しつつ、なお人類生存への二つの脅威の急激な悪化に全身全霊を捧げている。アメリカでは「気候変動への解決策の必要性を否定する唯一の保守政党」が政権を握っており、従来よりもさらに危険な新型大量破壊兵器の開発の可能性を開拓してもいる[xvi]。

世界の運命を左右する力をもつ三人組（トロイカ）を紹介しよう——国務長官と国家安全保障担当補佐官、そして世界が認める「ゴッドファーザー」としての最高指揮官だ[17]。一般にはあまり認識されていないが、国際関係や外交はもはやマフィア抗争の相を呈している。国務長官のマイク・ポンペオ[18]は福音派キリスト教徒だが、トランプはイスラエルをイランから守るために神が遣わした使者かもしれないという信念に彼の政治アナリストとしての感覚の鋭さが反映されていると言えよう[xvii]。

国家安全保障担当補佐官といえば、２０１９年９月に辞任した（あるいは「解雇された」という話を信じる人もいる）ジョン・ボルトン(19)であり、退任後も彼の子分たちが要所に陣取っている。

（16）Jeffrey D. Sachs　コロンビア大学経済学部教授。貧困や持続可能な開発などの研究分野における世界的第一人者として認められている。国連のアドバイザーとしての経歴も長く、２０１９年以降は持続可能な開発目標（ＳＤＧｓ）の世界年次報告書の筆頭著者でもある。

（17）Chief … the God Father　原文の「Chief」はその表記の短さや後の文脈から首席補佐官ではなく最高指揮官としてのアメリカ大統領への参照であると解釈した。また「God Father」は映画『ゴッドファーザー』への参照だが、ここもトロイカではなく大統領のみへの参照であると解釈した。

（18）Mike Pompeo　２０１６年にトランプ政権下でＣＩＡ長官に任命され、２０１８年には国務長官へ就任した。チョムスキーの引用は、ポンペオが２０１９年3月21日にベンヤミン・ネタニヤフ首相とのイスラエルでの会談で行った発言に基づく。

（19）John Bolton　２０１８年から２０１９年までアメリカ国家安全保障担当補佐官を務めた。特に２０００年以降、アメリカによる各種国際軍縮協定の棄権や廃止を主導した人物の一人として知られている。２０１９年にはイランにおける「レジームチェンジ」（すなわちアメリカによる一層過激な軍事介入）を提案したが、トランプ大統領にこれが却下された。２０１９年9月10日にボルトンは「大統領との見解の不一致」を理由に補佐官辞任を公式表明したが、同日にトランプは「（ボルトンに）もうこれ以上の奉仕は不要だと告げた」とツイートし、ボルトンの発言との矛盾が混乱を招いた。ホワイトハウスはトランプ側の発言が正確であるとしている。

ボルトンは単純な方針に従っていた。アメリカは自らの行動の自由を制限するような外からの影響力を——すなわち条約や国際協定を——一切受け入れるべきではなく、よって人類殲滅のための手段を開発する最大限の機会をすべての国々が（言うまでもなくアメリカがその筆頭だが）保障されるべきだという方針だ。ここから得られる論理的帰結を、彼はさらに続けて得意げに表明してもいる——もはや交渉の余地がないので、イランを徹底的に爆撃せよという帰結だ。[xviii]この推論と処方箋を彼が自信満々に流布していた頃、イランはアメリカやヨーロッパと共に包括的共同作業計画（ＪＣＰＯＡ）[20]の交渉の真っ最中だった。ＪＣＰＯＡはイランが核兵器活動を凍結した直後に最終決定された合意だ。アメリカの情報機関を始め多くの情報源が認めているように、イランがＪＣＰＯＡを注意深く遵守していたかたわらで、我らが最高指揮官殿はこの合意を紙屑のごとく破り捨てた。

最高指揮官殿は幼稚な誇大妄想者で、権力欲にとりつかれており、詐術にも長けている。世界が炎に飲み込まれてしまっても、自分が勝ち誇った気分になれさえすればそれで満足らしく、小さな赤い帽子を誇らしげにふりまわして踊りながら崖の下へと落ちていく。

地球環境に関するトランプの思考法を示す顕著な事例として、周辺地域社会の飲み水への悪影響の恐れから豪邸付きのゴルフコースの建設が拒否されたときの一件が挙げられる。話のわかる不動産屋の一団[21]に向けて、トランプはこう事情を説明した。「俺は不動産を造っていた。マジで豪華で美しい家を建てる予定だったんだよ。［ところが］この土地にはそれを建てちゃいけないって言われた。わけのわからない言いがかりだろう？」至極ごもっともなこの主張に基づいて、多数の環境規制が撤廃され、温室効果ガスの排出量が一気に増加した。撤廃された規制には「全国標準となった［ニクソン期の］環境法」も含まれていた。これによって、連邦諸官庁は「高速道路や石油パイプライン等の大規模なインフラ設備事業の環境負荷を評価する際に、気候変動を考慮に入れる必要がなくなった」。地球における組織立った人間社会の未来を奪うことがはっきりしていてもなお化石燃料の使用を最大化していく[xix]——なんともリーズナブルな考えではないか。

世界には似たような事例が他にもたくさんある。新時代の始まりを告げるかのような象徴的な出来事として、２０２０年の初めにはオーストラリア全土が炎に包まれた。溶鉱炉を思わせる記録的な暑さから人々が必死に逃げるかたわらで、（筋金入りの気候変動否定論者である）オーストラリアの首相は、有権者たちの苦しみに共感を示すために渋々休暇から戻った。対して野党労

（20）Joint Comprehensive Plan of Action　イラン、中国、フランス、ドイツ、ロシア、イギリス、そしてアメリカによる核兵器に関する合意。ウラン濃縮、ウラン所有量等を含む各種規制条項やイランに対する経済制裁の解除条項が盛り込まれ、四半期ごとに加盟7カ国が会議によって計画の進捗を評価する。イランがＪＣＰＯＡを遵守していたにも関わらず、アメリカは２０１８年に独断でＪＣＰＯＡから離脱し、イランへの各種制裁を再開した。参考資料：Arms Control Association, "JCPOA at a Glance," 2021, https://www.armscontrol.org/factsheets/JCPOA-at-a-glance

働党の党首は全国の石炭火力発電所を訪ねてまわり、世界随一の石炭輸出国としてのオーストラリアの活動をさらに拡大するよう呼びかけつつ、これは地球温暖化問題に真摯に取り組む姿勢と矛盾しないと国民に言い聞かせた。国際的な監視団体によれば、オーストラリアの気候変動政策はその真摯な取り組みのおかげで57か国中最下位となっている。[xx]

歴史がこれほどの悪夢を生み出すことになったのはなぜなのか、その経緯に思いを巡らせてみたくもなるだろう。いずれにしても、これが今の私たちをとりまく現実だ。

トランプ大統領には、成功の余韻に浸る理由が十分にある。成功の代償は世界中の無価値な人々が背負えば良いというわけだ。トランプにとって最も重要な後援者は巨万の富と企業権力の持ち主たちだが、人間としてトランプを好きになれなくても、トランプが惜しみなく与えてくれる恩恵には遠慮なくあやかっている。またトランプの支持基盤に属する有権者たちは完全に魅惑されている。共和党支持者の半数以上はトランプをアメリカ史上最高の大統領として認識しており、それまでトップを走っていたリンカーンすらも超えていると言っている。[xxi] 弾劾手続きも信者たちの間ではトランプの地位をさらに高めただけに見える。闇の勢力が我らのリーダーを引きずりおろそうとしているという説がいよいよ真実味を帯びてきたと思っているからだ。トランプは新自由主義による襲撃から人々を守るためにやってきた（あるいは天からこの世に送り込まれた）と思い込んでいるわけだが、実際はトランプほど熱心に新自由主義を擁護している者は他にいない。なかなか見事な詐術だ。

今私たちが直面している脅威の緊急性をこのような有権者たちに向けて説得していかない限り、惨事を免れることはできない。

この顔ぶれから地政学的戦略を期待するなど無理だと思えるかもしれない。「助言と承認」の上院[22]では、与党共和党が尊厳の残り火すらも完全にかき消し、熱狂的なトランプ支持基盤を怒らせないようにとびくびくしながら大統領に媚を売っている状態だが、それについてはこれ以上触れないでおこう。それでもなお、雲の中からは一つの戦略が浮き彫りになってきてもいる――「反動派インターナショナル」の形成だ。ホワイトハウスを統率部とするこの運動には実に多くの参加者がいる。エジプトやペルシャ湾域には凶悪な軍事世襲独裁制が敷かれている。イスラエルはかつて内密だったアメリカによる援助をもはや公然と受けつつ、「大イスラエル計画」を達成させようとしている。インドではモディがカシミールを蹂躙し、インドにおける非宗教的民主

(21)　appreciative crowd of realtors　「appreciate」には「値段が上がる」という意味もあるため、カネに目がくらんだ人々を揶揄する言葉遊びとしても読める。

(22)　"advise and consent" Senate　アメリカ合衆国憲法第2条2節2項の条文「大統領は、上院の助言と承認を得て、条約を締結する権限を有する」への皮肉交じりの参照。上院が大統領の権力に対する抑制装置としてもはや機能していない状態を揶揄している。

主義の残り火を消しつつ、極端なヒンデゥー国家民族主義体制を推進している。ブラジルではボルソナーロが醜悪な犯罪行為を連発しつつ、「地球の肺」であるアマゾン熱帯雨林を農産業界や鉱業界の友人に贈り、その破壊を確定させるという最悪の犯罪に手を染めている。他にも魅力的な賛同者は枚挙に暇がない。ハンガリーではオルバーンが遊牧的マジャル民族の血統をフン族のアッティラや場合によってはチンギス・カンにまでさかのぼって称賛している。イタリアではサルヴィーニがリビアから——ムッソリーニ時代においてイタリアが大量虐殺を繰り広げた国から——命からがら逃げてきた人々を千人単位で当然のごとく抹殺している。[xxii] この先の展開も波乱に満ちたものになるだろう。ボーリス・ジョンソン主導のブレクジット（イギリスの欧州連合脱退）が大方の予想どおりに進めば、かつてイギリスという名を冠していた対米従属国家をファラージが牛耳るようになるかもしれない。

　世界の未来予想図を描くとしたらこうなるが、環境危機と同じく、これもまた十分に回避可能な筋書きだ。私たちには選択の余地があり、こうした選択はものごと大きく左右する。

　例えば、バーニー・サンダース[23]とギリシャのシリザ左派政権の元財相ヤニス・バルファキス[24]が用意してくれた選択肢がある。二人はトランプの旗の下に結集した反動派インターナショナルへの対抗勢力として進歩派インターナショナルの発足を呼びかけている。[25] こうした呼びかけの声に私たちはしっかりと応える必要がある。

始めの質問に戻ろう。端的に答えるならば、環境危機は核兵器危機と共に人類史上初の真に実存的な危機だ。現代に生きる人々は人類の未来を決定する力を持っている。それだけではなく、人間の手によって破壊されている他の生き物たちの未来を決定する力も持っている。破壊のペースはすさまじく、６５００万年前に巨大隕石が地球を直撃して恐竜たちを絶滅に追いやったとき以来の酷さとなっている。恐竜の絶滅は小動物の進化の道を開きもしたが、その進化の先にはさ

---

(23)　Bernie Sanders　アメリカ合衆国連邦議会上院議員。無所属。２０１６年大統領選挙の民主党予備選ではヒラリー・クリントンと熱戦を繰り広げ、国民皆保険制度や戦後期レベルの累進課税制度の導入など伝統的な社会民主主義制度を推進し、アメリカの政治における「オヴァートンの窓」を動かした。

(24)　Yanis Varoufakis　ギリシャ国会議員、ＭeＲＡ25党党首、元ギリシャ財務相。経済学者として30年以上研究を続けた後、２０１５年に政界入りし、以後は政治活動へ献身している。著書に『世界牛魔人――グローバル・ミノタウロス：米国、欧州、そして世界経済のゆくえ』『黒い匣――密室の権力者たちが狂わせる世界の運命』などがある。

(25)　Progressive International　国際的な進歩派政治団体。グリーンニューディール政策の推進や、Amazon労働者の待遇改善と権利保障を求める「#MakeAmazonPay」キャンペーンなどを実施した。「ヨーロッパにおける民主主義運動25」（Ｄ・ｉＥＭ25）の派生運動でもあり、評議会にはチョムスキーを含め世界40ヵ国以上から様々な活動家や知識人がアドバイザーとして名を連ねている。

きの隕石のクローンが待っていたというわけだ。ただし、あの頃の隕石とは異なり、今の私たちには選択をする力がある。[26]

ポーリンさんに質問です。2018年にIPCCは産業革命以前比で摂氏1・5度の地球温暖化が起こった場合の影響に関する特別報告書を作成しました。気候変動からくる課題についての主流研究は、IPCCが長年にわたって行ってきた研究も含め、気候危機の実像や危険性を十分に把握できていると言えるのでしょうか。

ロバート・ポーリン　始めに断っておくが、私は気候科学者ではない。そのため、IPCCの研究報告書で定期的に要約されている主流研究や、IPCCは同時代の科学における諸見解を十分に包括できていないとする批判的研究などを評価する資格も私にはない。これを留意した上で、気候科学の進歩と普及におけるIPCCの役割を確認しよう。IPCCは1998年に創設された国際連合（UN）所属機関であり、「気候変動に関する最新の知見について、定期的な科学的評価を政策立案者に向けて提供する」ことを使命としている。[xxiii] IPCCは独自の研究を行っているわけではなく、関連文献の評価と総合を行う情報センターとして機能している。ＩＰＣＣの各報告書の執筆と審査には数千人もの科学者たちが関与しており、その後さらに諸政府による審査がある。私も同じマサチューセッツ大学に所属する気候科学者たちとは知り合いだが、この人たちは様々なＩＰＣＣ報告書に関わっている。献身的で能力が高く、信の置ける人たちだ。どの問題群についても、ＩＰＣＣは主流の気候科学に対する最新かつ高水準の評価を総合していると言って差し支えない。

気候科学否定論者の少数集団がいまだに存在することもまた事実だ。この人たちの主張を大手既成メディアはあたかも信の置ける見解であるかのように大々的に報道するが、その論拠として提示されている科学的内容には到底見合わない報道の仕方だ。[xxiv]疑わしい見解であるとはいえ、この人たちの主張の中にはそれなりに評価すべきものも少しはあるという可能性も完全には否定できない。この文脈で強調しておきたいのだが、ＩＰＣＣはすべての試算や推計において最大限の不確実性を慎重に考慮している。例えば、必要となる排出量削減目標を提示するときにも、「20年以内に排出量を80％削減しないと以下のような最悪の事態が起こってしまうだろう」という風に単一の数字を用いることはまずあり得ない。そうではなく、ＩＰＣＣは結論を述べるときにい

（26）　it can make a choice　エリザベス・コルバート『6度目の大絶滅』における「今回は私たちが隕石だ」というテーゼへの参照を含むと思われる。

つも範囲（レンジ）や確率を用いる。またＩＰＣＣが定期的に評価の内容を大きく変えてきたということも事実であり、それは近年の主要な出版物においても見て取れる。

例えば、２００７年第四次評価報告書でＩＰＣＣは、産業革命以前の平均比で地球平均気温の上昇を摂氏２度以下に抑えて安定させるためには、年間CO_2排出量が２０５０年までにおよそ40億〜１５０億トン[27]にまで減る必要があったと結論づけている。これは２０１８年の排出量である３３０億トンと比べると60％〜80％の減少を意味する。ところが、２０１４年第五次評価報告書でＩＰＣＣは、同様の摂氏２度以下という安定点を実現するためには36％〜67％の排出量削減が必要だと述べた。つまり、２００７年評価報告書から２０１４年評価報告書へ移るまでの期間中に、ＩＰＣＣは排出量削減目標を下げたわけだ。しかしながら、２０１４年評価報告書の発表から４年後にあたる２０１８年にＩＰＣＣは再び立場を大きく変え、それまでの出版物とはうってかわって切羽詰った論調をとった。さきほどあなたが参照した２０１８年10月の報告書『摂氏１・５度の地球温暖化』において、ＩＰＣＣは地球平均気温の上昇を摂氏２度ではなく摂氏１・５度以下に抑える必要性を強調した。この呼びかけは、摂氏１・５度以下という目標を達成すれば気候変動が招きうる被害を大幅に緩和できるという結論に基づいていた。こうした被害には、猛暑、豪雨、干ばつ、海面上昇、そして生物多様性の喪失や、健康、暮らし、生計、食料安全保障、水の供給、そして人間の安全保障への影響が含まれる。

すでに明らかなように、地球平均気温を産業革命前比で摂氏１・５度、あるいは摂氏２度も上昇させた場合に何が起こるのか、その全容の把握には大きな不確実性が伴う。ＩＰＣＣの２０１８年評価が予測するより酷い結果となるかもしれないし、あるいはそれほど酷くはない結果となるかもしれない。もしＩＰＣＣが将来的な評価において再び立場を変えたとしても、それは至って自然なことだ。２０１４年の場合のように、より楽天的な評価を行う可能性も考えられる。とはいえ、より悲観的な評価を行う可能性の方が高い。それは先ほどノームが引用した、権威ある気候科学者にしてＩＰＣＣ著者、レイモンド・ピエールハンバートの「焦燥感を抱くべきです。深刻な状況に陥っているのですから」という警告を反映した評価となるだろう。要するに、様々な不確定要素[28]をすべて考慮に入れてもなお、私たちにはすでに断固とした行動をとるために十分な情報基盤がある。

(27) metric tons　CO_2の量をメートル法で示した単位。二酸化炭素のみを指す場合は「CO_2」と明記されていることが多く、本書ではこれを単に「トン」と訳していく。類似の単位で、メタンや亜酸化窒素などの温室効果ガス一般をCO_2に換算して計測した場合の「換算トン」や、炭素の量のみを抽出して表記する「炭素トン」などがある（1炭素トン＝３・６７換算トン）。

(28) uncertainties　文脈に応じて「uncertainties」は不確定要素と不確実性で訳し分けていく。

この質問をさらに掘り下げたいと思います。気候変動に取り組む上で、保険という概念を使うのが理に適(かな)っていると思うのですが、いかがでしょうか。

ポーリン　端的に言って、まったくそのとおりだと思う。気候変動に付随する不確実性という現実に向き合ったとき、浮き彫りになる問題が一つある。科学界の総意が実は誤まっていたとしたらどうか。より正確に言い換えるならば、気候変動から深刻な被害が何も生じないという、比較的確率が低い結果が実現するのだとしたらどうか。その場合、世界は30年間で数兆ドルもの金額をありもしない問題の解決のために浪費したということになるだろうか。

現実はといえば、私たちは気候変動の影響に関して100％の確実性を待つのではなく、合理的な確率の推計に基づいて断固たる行動をとるべきだ。グローバル・グリーンニューディールに関しても、エコロジカルな惨事の到来という、確実ではなくても深刻な展望から自分たちや地球を守るための保険として捉えるべきだろう。

2019年に亡くなったハーバード大学の経済学者、故マーティン・ワイツマン[29]は、気候変動を取り巻く不確定要素との正しい向き合い方に関する重要な研究に寄与した。2015年刊行のゲルノット・ワグナー[30]との共著『気候変動クライシス』にはこう書かれている。「気候変動には不確実性が幾重にも織り込まれており、その奥にはさらなる不確実性が深く根を下ろしている」。ワイツマンとワグナーは一連の不確定要素と折合いをつける方法として次の比喩を提案している。

仮に既存の文明を一変させるような隕石が地球に向かって飛んできているとしよう。この隕石は10年後に地球に到着する予定であり、５％の確率で地球に直撃する可能性があると仮定しよう。その場合、私たちは隕石の軌道を変えるためにありとあらゆる手段を尽くすだろう。同じ隕石が今度は１００年後に到着する予定だと仮定しよう。その場合、私たちも隕石対策について数年くらいは議論をするかもしれない。それでも、10年あれば解決できるのだから

---

(29)　Martin Weitzman　ハーバード大学経済学教授。環境経済学を専門とする。世界銀行や国際通貨基金などの機関への顧問も務めた。主著『気候変動クライシス』では、気候変動に付随するリスクを正確に計測する難しさをロングテール分布などの概念を絡めて論じ、ノードハウスのＤＩＣＥモデルなどを「気候変動からくる大型のショックが組み込めていない」として批判した。

(30)　Gernot Wagner　ニューヨーク大学環境学教授。気候経済学や気候政策の研究が専門。近年では太陽地球工学（solar geoengineering）などの最新技術に対する世論の研究に力を入れており、「技術革新だけで問題が解決できるわけではないという主張からは、技術革新を解決策に組み込むべきではないという結論は導けない」と指摘し、モラルハザードにつながらないような技術革新のあり方を他の研究者たちと共に模索している。

あと90年間は何もせずにゆったりとくつろごう、などとは誰も言わないだろう。あるいは、90年後の科学技術は今よりも格段に進歩しているはずだから、91年か92年くらいは何もしなくてもおそらく平気だ、などという態度もとらないだろう。むしろ、私たちはすぐさま行動を起こすはずだ。90年後に科学技術がどれだけ進歩し、隕石の軌道の詳細がどれだけ正確に解明されうるかなど、この際どうでもいい。隕石が地球を直撃する確率が5％ではなく「たった」4％だとわかったところで、一体何になると言うのだ。[xxv]

ワイツマンとワグナーはさらに人々が日常生活で不確実性や保険と向き合う場合へと話を落とし込んでいる。二人はこう書いている。「致命的な火事や交通事故やその他の個人的惨事が実際に起こる確率は、ほとんどの場合10％にも届かない。それでも、人々はこうした稀な可能性に備えて保険に入るものだし、場合によっては補償コストの社会的負担を促す目的で作られた法律によって保険加入を義務付けられる[xxvi]」。

この視点からは、「気候保険」への加入に際して本当に問題となる論点は一つしかない——十分な補償を受ける対価を考えたとき、私たちの支払い意思額[31]はいくらかという問題だ。自動車保険に喩えるならば、保険に入るか否かではなく、保険金額と補償内容の決定が問題となっている。現実的なグリーンニューディール計画を後で議論するときにも、この問題を詳しく論じようと思う。

正統派経済学の基盤には、自由市場の働きは、その成り行きに任せた場合、政府介入よりも優れた社会的効果を生むという前提があります。正統派経済学のこの市場肯定バイアスは、気候変動緩和の進捗(しんちょく)をどれくらい妨げているのでしょうか。

ポーリン　イギリスの権威ある主流派経済学者であり、世界銀行の元チーフエコノミストでもあるニコラス・スターン[32]は、２００７年にこう書いている。「気候変動は、世界史上最悪の市場の失敗が生んだ問題である」。スターンの評価は極端ではあるものの、決して誇張ではない。

(31)　how much we should be willing to pay　厳密には「willingness-to-pay」という語は使われていないが、経済学的な文脈も考慮してやや専門用語寄りの訳語を選択した。

(32)　Nicholas Stern　ロンドン・スクール・オブ・エコノミクス経済学教授、イギリス学士院フェロー。世界銀行チーフエコノミスト、イギリス学士院長などを歴任した。２００６年に発表された『気候変動の経済学に関するスターン報告書』（通称「スターン報告」）は、ＩＰＣＣの出版物を除いて他に比肩するものがないほど世界的な影響力をもつ文書だと言われている。

新自由主義は気候変動を引き起こす原動力だ。というのも、新自由主義は古典的自由主義から派生したわけだが、古典的自由主義は資本主義の市場という場で個々人が私利を追求する自由を最大限認めるべきだという観念に基づいている。とはいえ、新自由主義は古典的自由主義から大きく逸脱してもいる。それは正統派経済学の基本前提、すなわち自由市場の働きは成り行きに任せておけば政府介入よりも優れた結果を生むという前提からの逸脱も意味する。正統派経済学が賞賛する純粋な自由市場モデルに新自由主義を対置してみたとき、ある問題が浮き彫りになる。新自由主義体制の下で実際に何が起こるかというと、諸政府が巨大企業に自由な利益追求の機会を最大限認めている。同時に、こうした利益が危機にさらされた場合には、政府から助っ人が参上して諸企業を救済する。資本家には社会主義を、その他大勢には過酷な自由市場資本主義をというわけだ。

石油諸企業による気候変動への取り組みの記録からは、現実世界における新自由主義思想の劇的な実践例が見て取れる。1982年にエクソン社（現エクソンモービル）の研究者たちは、エネルギー源として石油、石炭、そして天然ガスを2060年まで燃やし続けた場合、地球の平均気温はおよそ摂氏2度上昇するだろうと推計した。そうなれば、実際に私たちが1980年代以降実感を強めてきたような大規模な気候の乱れが生じる。1988年にはシェル社の研究者たちも似たような結論に達している。この情報をエクソンやシェルがどう扱ったのかについては、今でこそ周知の事実となっている――そう、隠蔽したのだ。理由は明らかだろう。当時この情報が一般公開されてしまっては、石油の生産と販売から巨額の利益を得るという将来展望が脅かされてしまうからだ。

エクソンとシェルの行動の不道徳性に関しては疑いの余地がない。とはいえ、どちらの企業も「自社の利益を守れ」という新自由主義の原則に忠実に従っていたこともまた事実だ。両社はさらに１９８０年以降、世界中のありとあらゆる国の政府からありったけの助成金を巻き上げるという、やはり新自由主義の原則に従って行動していた。それにも関わらず、どちらの企業もこうした行為に対する政府制裁を受けていない。むしろ巨額の利益を懐に入れ続け、政府からも巨額の助成金を受け続けている。

この状況をすべて正統派経済学のせいにするわけにはいかない。スターンが強調したように、正統派経済学の枠内でも資本主義における市場プロセスの失敗を認めることは可能だ。しかしながら、正統派経済学者たちは市場の失敗を解決する際に政府介入の最小化を強く主張するものだ、という点は重要だ。正統派経済学によれば、政府介入は無能力や汚職、さらには「公共の福祉」という目的のもつ曖昧さのせいで、ものごとを悪化させる可能性が高いとされている。対して、市場には欺瞞性がない。個々人がそれぞれ私利私欲を追求しているだけだからだ。

こうした理由から、主流の経済学者たちは気候変動に対する政策介入を考えるときに、ほぼ満場一致で炭素税を最も効果的なものとして——人によっては唯一効果的なものとして——支持している。2019年1月にノーベル賞経済学者27名、連邦準備制度元議長4名、そして大統領経済諮問委員会元委員長15名が署名した声明には次のような文言がある。

> 十分に強固で徐々に増額されていくような炭素税は、これに比べ効果が薄い炭素関連規制を少しずつ置き換えていくだろう。面倒な規制を価格信号（プライス・シグナル）に置き換えることで、経済成長が促進され、クリーン代替エネルギーへの長期的投資に際して企業が必要とする規制の確実性が提供される。[xxvii]

こうした経済学者たちは、炭素税の税収を一般の人々に公平に再分配することで、エネルギーの購入が所得全体の使い道の大部分を占めるような低所得者層の家計が圧迫されないようにするべきだ、という点では見解が一致している。しかし、この経済学者たちは再生可能エネルギーや省エネへの公共投資の増額にはまったく賛成していない。アメリカではGDPの35%を占め、他国ではこれをも上回るような規模をもつ公共部門が、クリーンエネルギーへの転換を全力で推進する能力を放棄してしまっているわけだ。また、同じ経済学者たちは、電力会社に対して石炭や天然ガスの燃焼を禁止し、再生可能エネルギー利用を拡大するような規制にも反対している。こうした見解は政策議論における大失態と言うべきだが、アメリカでも屈指の権威をもつ経済学者たちは度々この誤りに陥っている。

権威ある経済学者による政策議論における大失態ということで言えば、イェール大学のウィリアム・ノードハウス[33]を挙げないわけにはいかないだろう。ノードハウスは気候変動の経済学における大きな功績が認められ、２０１８年にノーベル経済学賞を受賞している。同年12月に行われたノーベル賞授賞式の記念講演において、ノードハウスは気候変動への対策となるような政策展開の可能性をいくつか提示した。講演でノードハウスが「最適」と呼んだ政策展開によると、地球平均気温は２０５０年までに摂氏2度まで上がるが、さらにその後も１００年間上昇を続け、

(33)　William Nordhaus　イェール大学経済学教授。２０１８年にアルフレッド・ノーベル記念スウェーデン国立銀行経済学賞（通称「ノーベル経済学賞」）を受賞した。アメリカではカーター政権における大統領経済諮問委員会委員を務めた。環境経済学では、温室効果ガス排出量削減のコストと温暖化によるコストの均衡点を算出するための「気候と経済の動学的統合モデル（ＤＩＣＥ）」を開発し、気候政策の数理的な評価に加え炭素の社会的費用（ＳＣＣ）の算出も可能にした。ただしＤＩＣＥに対してはデータの過剰な集約や代表的個人の使用、また世界の貧困層約20億人に関する市場データの不在からくるモデルのバイアスなどを理由に様々な批判がある。参考文献：John Weyant, "Some Contributions of Integrated Assessment Models of Global Climate Change," *Review of Environmental Economics and Policy*, 11: 1, 2017, 115-137.

2150年に地球平均気温の摂氏4度上昇という「最適」な点で安定する。2050年の平均気温安定目標を摂氏2度ではなく摂氏1・5度に設定しない限り、猛暑や豪雨、干ばつや海面上昇、そして生物多様性の喪失といったリスクの深刻化は回避できないだろうという、IPCCが2018年10月に——ノーベル賞講演のわずか2ヶ月前に——発表した結論に、ノードハウスは少しも信用を与えていない[34]。さらに異常なことに——あるいは唖然とするほど驚異的にというべきか——ノードハウスは2150年までに地球平均気温を摂氏4度上昇させることで生じるリスクに対してまったく危機感を持っていない。

科学ジャーナリストのマーク・ライナス[35]は、摂氏4度の温暖化が起こった場合に予測される地球の状態に関する研究を概観した上でこう書いている。

摂氏4度に達した場合、新たな臨界点の突破はほぼ確定している。……北極の（特にシベリアの）永久凍土層[36]に閉じ込められていた数千億トンもの炭素が融解域[37]に達し、地球温暖化の素となるメタンや二酸化炭素が大量に放出されるときに臨界点が訪れる。……また北極海の海氷も完全に溶けてなくなり、少なくともここ300万年間で初めて北極点は開放水面となる。ホッキョクグマを始め海氷に依存する諸生物種の絶滅はほぼ確定される。南極の海氷も大きな打撃を受けるだろう。……これによって地球の海面はさらに5メートルほど上昇する。

……海面上昇が加速するに従って、海岸線も常に変化を続けるようになる。地域全体が、いや島国全体が、海に沈む。ヨーロッパでは新たな砂漠地帯がイタリア、スペイン、ギリシャ、そしてトルコで広がる。サハラ砂漠はジブラルタル海峡を越えて広がるだろう。[xxviii]

気候不確実性(38)に関するマーティン・ワイツマンの仕事が強調しているように、地球平均気温の摂氏4度の上昇を許した場合にこうした結果が実際に起こりうる確率を確実に知る方法は私たちに

---

(34)　credence　ベイズ統計学における「credence」の含意もある。ちなみに、ノードハウスやワイツマンなど気候変動を扱う経済学者にはベイジアンも多い。

(35)　Mark Lynas　イギリスに拠点を置くジャーナリスト。『ガーディアン』紙を始め多くの主流メディアに寄稿しており、またコーネル大学「Alliance for Science」（科学のための同盟）のコミュニケーション戦略部門と気候変動部門の長も務めている。ライナス本人は気候科学の専門家ではないものの、主著『+6℃ 地球温暖化最悪のシナリオ』は数百もの査読付学術資料に基づいて書かれており、十分な信憑性がある作品と言える。

(36)　permafrost　2年以上にわたって温度が摂氏0度以下であり続けた土壌や地盤の総称。

(37)　melt zone　主にグリーンランドにおいて、夏期の気温上昇によって氷床が融解する区域のこと。

(38)　climate uncertainty　「気候変動に関する不確実性」の略。一般に「気候変動に関する○○」は「気候○○」と略される場合が多い。日本語でもこの慣例に従った。

はない。ここでワイツマンの議論をさらに追っても良いが、常識に則して考えてみるとなお分かりやすい。というのも、「摂氏4度の温暖化は仮にそれが実際に起こる確率が低かったとしても全力で阻止するべきだ」という論点は、既存の知識を用いるだけでも十分に理解できるはずだからだ。気候変動分野において世界で最も権威ある正統派経済学者が、摂氏4度の温暖化に伴うリスクを「最適」と呼んでいるという事実に、正統派経済学の限界と無意味さがはっきりと表れている。

工業型農業が地球環境に与える影響について、懸念が広がっています。むしろ工業型の食料供給制度は総じて体の健康にも経済にも悪いと言えそうです。ポーリンさん、工業型農業がもつ諸影響やこれに代わる農業のあり方についてお話いただけますか。

ポーリン　企業的工業型農業は気候変動の悪化の大きな原動力であり、CO_2、メタン、そして亜酸化窒素の三大温室効果ガスを含む温室効果ガス総排出量のおよそ25%を占めている。[xxiv]

気候変動関連問題そのものの議論に入る前に、工業型農業がもつ他の大きな影響をいくつかここに挙げておきたい。国際労働機関が最近発表した優れた研究では、主に工業型農業に起因する現象が次のように列挙されている。

土壌劣化（過剰な搾取とずさんな管理が引き起こす有機物含有量の低下）、砂漠化と淡水資源不足（土地や農作物の不適切な管理に起因する）、生物多様性の喪失、病害虫抵抗性、そして水質汚染（土地用途の変更、富栄養化［水にミネラルや栄養素が過剰に濃縮され、藻類の過剰発生などが起こっている状態］、汚染物質の流出、そして栄養素のずさんな管理に起因する）[xxx]。

土壌劣化や水質汚染の原因となる要素は、人間の健康へも様々な悪影響を与えている。中でも、世界中の農業従事者数百万名が有毒な殺虫剤や除草剤に日々直接触れているという問題は特筆に価する。その後、こうした有毒物質は一般の人々が消費する食べ物や飲み水に流入する。

工業型農業の気候への影響に話を戻そう。ここでは互いに関連する４つの問題群を強調しておきたい。第一に、森林破壊[39]がある。第二に、畜牛農業[40]による土地利用だが、これは地球上の利用

(39)　deforestation　木々を切り倒す行為と森林破壊一般を両方意味する一語。原文では明確な区別が付けられていないため、和訳では文脈に応じて「森林伐採」と「森林破壊」を使い分けた。

可能な土地の用途として最大であり、その広さは人間が食べる作物の栽培も含めその他すべての用途をはるかに凌ぐ。第三に、土地の生産性を高める目的で、天然ガス由来の窒素肥料や合成殺虫剤・除草剤への深い依存がある。第四に、大量の食物が栽培された後でそのまま廃棄されるという問題がある。理由は色々あるが、食料の大量廃棄は低所得国でも高所得国でも生じている。

森林破壊

ポーリン　化石燃料の燃焼を除けば、森林破壊は気候変動の最も大きな原因となっている。生木にはCO_2の吸収と貯蔵という機能があるからだ。森林伐採によって木々が切り倒されると、そこに貯蔵されていたCO_2は大気圏に放出される。また、切り倒されてしまった木には、当然ながらもうCO_2を新たに吸収する力はない。IPCCが報告した2019年の最新データに基づくと、森林破壊のこうした諸影響の組み合わせは――つまり、切り倒された木々から大気圏へのCO_2の放出とCO_2の吸収装置としての木々の喪失は――温室効果ガス総排出量の約12％を占める。

森林破壊は気候変動の主要な原因として十分に認識されている。では、なぜ森林伐採はいまだに続けられているのだろうか。答えは簡単だ。私たちはエコロジカルな惨事を招くとわかっていてもなお化石燃料を燃やし続けているが、これと同じくらい簡単な説明が森林伐採の場合にも当てはまる。つまり、森林破壊は利益になるわけだ。広大に開けた土地は、農業や鉱業にとって搾取の絶好の対象となるからだ。

森林破壊から生じる最大の利益獲得機会は、企業的農業のための開拓だ。細沼（岸本）紀子[41]らが最近行った詳しい研究によると、発展途上国における森林伐採は全体のおよそ40％が企業的農業によるものであり、中でも最大の要因は畜牛の放牧のための開拓だという推計が出ている。細沼（岸本）はさらに伐採跡地の33％が零細農業[42]に当てられていると推計している。また伐採跡地の10％は道路などのインフラ設備の建設に使われるが、これは主に伐採跡地における事業活動を

（40）　cattle farming　肥育農家、酪農家、繁殖農家を含め、牛を扱う農家全般を指す言葉。日本語には対応する適当な訳語がないので、ここでは「畜牛農業」と訳出した。ちなみに気候変動への加担という文脈では、牛という種族そのもので農業形態をくくる「畜牛農業」の方が牛の用途でくくる言葉よりも文脈的に適切だと思われる。

（41）　Noriko Hosonuma　国土地理院所属の科学者、研究者。森林破壊や地震の研究にくわえ、地球地図の作成や測量の技術の開発にも寄与した。

（42）　subsistence farming　農家の個人的な生計のために行われる農業のこと。利益や黒字が出ることはほとんどない。文脈によって「自給農業」と訳されることも多いが、企業的農業との関連からここでは「零細農業」の方を採用した。

支えるための必要設備だ。このため、森林破壊のおよそ85％は農業に関連付けられており、そのほとんどは畜牛農業やその他の企業的農業だ[xxxi]。

森林破壊は企業の利益になるだけではなく、低所得層の個人や地域社会に収入をもたらすという点も認める必要がある。しかし、労働者や貧困層へのこうした恩恵はほぼ必ずと言っていいほど一時的であり、すぐに雲散霧消してしまう。森林破壊が低所得者層にもたらす利益と損失はよくある景気循環のパターンに従うものだ。土地が新たに切り開かれると、農業や鉱業の事業計画に加え、こうした事業を支えるために必要なインフラ設備への投資が誘引される。こうした投資は雇用創出につながるが、それもあくまで事業の立ち上げという初期段階においての話だ。また、新たな開拓地における事業の開発や構築という初期段階においては、仕事を求めて多くの人々がこうした地域へ移住する。すると新規雇用をめぐる競争が激化し、賃金に下落圧力がかかる。

企業農場における雇用や零細農業の拡大によって低所得者層が受けうる恩恵も、もとの森林が可能にしていた経済活動の喪失によって相殺されてしまう――ゴムの木の樹液の採集、木の実の収穫、そして枯れ木を使った持続可能な木材調達を含む経済活動の喪失だ。世界資源研究所が2018年に発表した研究は次のような結論を出している。「商品生産を目的とする土地取得は、往々にして地元地域の生活様式や生計を壊し、先住民土地権や伝統的土地権を無視してきた[xxxii]」。

森林破壊の防止のための主要な政策的取り組みとしては、世界規模の射程をもつ政策群である

「森林減少・劣化からの温室効果ガス排出削減」プログラム、通称ＲＥＤＤ[43]が挙げられる。こうした政策群の管理と統括は主に国際連合（ＵＮ-ＲＥＤＤ）と世界銀行が行っている。ＲＥＤＤの基本理念は単純であり、グローバルサウスにおける政府、企業、森林所有者、そして森林居住者に向けて、森林の伐採ではなく保存に対して報酬があるようにするというものだ。

理論上、ＲＥＤＤプログラムは有益となるはずだ。しかし、実践の場では大きな問題がいくつか浮上している。その中でも特に重要な問題を３つ挙げておきたい。第一に、ＲＥＤＤ関連事業への資金は大半が企業によってまかなわれる。企業のねらいはカーボンオフセットだ。例えば、ＲＥＤＤは電力会社によるカーボンクレジットの購入を可能にし、おかげで会社側は石炭の燃焼による発電を継続できるようになる。石炭から脱却し、クリーンな再生可能エネルギーへ直接的に投資を移行するという選択肢は採られない。これと関連する第二の問題は「漏出」だ。ＲＥＤＤには一定の森林区域において開拓を禁止する取り組みがあるが、事業者たちはこれを受けて保

（43）　Reducing Emissions from Deforestation and Forest Degradation　国連主導の国際プログラム。日本では環境省が以下のように内容を説明している。「途上国での森林減少・劣化の抑制や森林保全による温室効果ガス排出量の減少に、資金などの経済的なインセンティブを付与することにより、排出削減を行おうとするものです」。出典：環境省「ＲＥＤＤプラス」https://www.env.go.jp/nature/shinrin/fpp/maintenance/new/redd.html

護対象外の地域へ事業活動を移す。特定の保護区域から生じる漏出率の推計は振れ幅が大きく、まったく影響が出ない率だとする推計もあれば、保護によって防止できた排出の１００％以上という推計もある。いずれにしても、既存の漏出防止対策は明らかに脆弱だ。[xxxiii]

ＲＥＤＤプログラムが抱える第三の大きな問題は、プログラムへの参加によって得られる金銭的恩恵が、援助を得るための法律上の条件の満たし方を理解している企業農家や土地投機家へ不当に多く流れていってしまうというものだ。ほとんどの場合、一般の森林居住者は制度から恩恵を得る上で法律顧問や金融顧問の助けを借りることができない。森林破壊の防止と森林の修復のための公正で効果的な政策はもちろん必要だ。しかしながら、森林を更地にして化石燃料を燃やすことで利益をあげてきた企業利権に対してＲＥＤＤプログラムが有利に働いてしまっては本末転倒だろう。

畜牛農業

ポーリン　畜牛農業が気候変動の原因となるからくりは二つある。第一のからくりは、畜牛農業は他のどの農業形態よりも広い土地を必要とするという事実に起因する。すなわち、鶏や豚、魚などの動物由来の食料の生産や、牛の飼料ではなく人間の食料を作るための耕種農業に比べ、畜牛農業ははるかに多くの土地を必要とする。作物が育たない土地のみを使って放牧を行えば、畜牛農業も世界の食料供給へ正味でプラスの貢献ができるかもしれない。しかし、人間の食料を栽培できるような土地が牛の放牧や飼料の栽培に当てられた場合、地球の土地資源が大量に無駄遣いされてしまう。また、より多くの土地を牛の放牧に使うよう圧力がかかると、企業や土地投機家に森林破壊をする動機が生まれてしまう。

土地利用をめぐるこうした圧力の生成に加え、畜牛の飼育は気候変動を直に悪化させてもいる。牛は食べ物を消化するときにメタンを放出するからだ。これは牛に限らず反すう類全般について、すなわち羊、やぎ、水牛、鹿、エルク、キリン、そしてラクダなど、食べ物を口に戻して再び咀嚼する動物種全般について言える。それでも、地球上の牛の頭数はおよそ15億頭であり、他の反すう類をはるかに凌駕している。牛によるメタン排出は年間で約20億トンの温室効果ガスを生んでいる。これは２０１８年の温室効果ガス排出総量の４％に相当する。

工業型農業と有機農業の比較

ポーリン　一般的な工業型農法は、合成肥料、かんがい、殺虫剤、そして除草剤の大量使用によって成り立っている。窒素肥料だけを見ても、１９６１年から２０１９年までの期間で使用量が800%も増えている。同期間で世界の一人当たりの食料供給量は30%増加したが、窒素肥料の使用はこれの重要な要因となっている。

他方で、主にアンモニアという形で窒素肥料を製造するとき、天然ガスの水素と空気中の窒素を混ぜる必要が生じることもまた事実だ。そのため、窒素肥料の製造には、三大温室効果ガスであるCO$_2$、メタン、そして亜酸化窒素の生成が伴う。加えて、窒素肥料は土壌中の細菌と組み合わさると亜酸化窒素に変換される。

工業型農業のこうした慣習への代案として、有機農業は輪作、動物の糞、そしてたい肥によって肥料を調達し、生物的病害虫防除[44]を採用している。具体的には、窒素を土壌に固定する上でアンモニアに頼るのではなくマメ科の作物を植え、合成殺虫剤ではなく自然界に存在する害虫の天敵を積極的に導入し、病害虫を惑わし土壌を再生させるために輪作が行われ、病気や雑草への対策として天然の資源が利用される。アンモニアやその他の化石燃料由来製品に肥料を頼らずに済むため、有機農業ではカーボンフットプリントが最小限に抑えられる。

このため、有機農業が排出量削減や気候変動対策にもたらす恩恵はわかりやすい。とはいえ、従来型農業への代案としての有機農業には、無視できない問題もある。最大の問題は、面積当たりの食料生産量が従来型農業に比べ少ないという点だ。少なさの度合いに関しては様々な見解があり、答えを明確にする目的でいくつかの大規模な研究が行われもしたが、推計の振れ幅はなお大きい。世界の地域ごとの特徴や個々の農場がもつ特性なども含め、生産量の違いを決定付ける要因はたくさんある。これらを考慮に入れつつ、一般的な結論として、従来型農業の生産量は農地の面積当たり10％～15％多いとするのがこれら推計の中間の値として妥当だと言える。それでもなお、発展途上国においては有機農業の方が従来型農業よりも生産量が多いとする研究者もいる。貧しい国々においては、合成資源よりも有機農業に使う資源の方が容易に入手可能だからだ。

土地と食料の無駄遣い

ポーリン　一般論として、世界の食料供給を有機農業によって賄うためには、より広い面積の土地が必要になるだろうと言って差し支えない。世界の農地の最大の用途である畜牛農業からの脱却の必要性も、これでさらに明確になるだろう。

世界規模で工業型農業から有機農業へ移行する上で、土地利用に付随する圧力を緩和するためには、栽培された後で無駄に廃棄される食料の量を減らすことも重要となる。推計によると、世

(44)　biological pest control　病害虫への天敵を導入することで被害の緩和や防止を行う防除策の総称。化学的防除に比べ薬剤体制が病害虫側につきにくい、作物や土壌への毒素の残留が起こりにくい等々の利点がある一方、適用可能な病害虫が限定されているという欠点もある。

界の食料の総生産高の35％〜50％は人間の口には入らず、代わりに廃棄されたり、劣化させられたり、害虫に食い荒らされたりしている。発展途上国では収穫後や加工過程において食料の40％以上が失われる傾向にあるが、これは貯蔵や運搬のためのインフラ設備の不備が原因だ。高所得国ではこれほどの食料が生産過程で無駄になることはない。それでも、高所得国においては食料供給の40％以上が小売流通や消費の段階で無駄にされているという推計もある。身近な例として、飲食店では大量の食料が廃棄され、一般家庭でも食べ物が直接ゴミ箱へ放り込まれている。

発展途上国においては、貯蔵や運搬のためのインフラ設備の改善という解決策がまずは分かりやすい。発展途上国における食料の無駄を例えば10％ほど減らすだけでも、世界の食料総需要を約5％下げることができるようになる。これだけでも、世界の食料の主な供給源を工業型農業から有機農業へと移す際に必要となる追加の土地利用をかなりのところまでカバーできる。高所得国では、飲食店や家庭における大量の食料廃棄を止めるだけでも、土地利用をめぐる世界規模の圧力をさきほどの例と同じくらい大きく軽減できるようになる。

最後にあと一つだけ問題を挙げておきたい。グローバル・グリーンニューディールの一環として、人々は日常の食習慣を変え、特に牛肉の消費を大きく減らす必要があるだろうか、という問題だ。答えは「ある」だ。これは逃れようのない現実だ。動物性食品を牛から鶏、豚、そして魚に変え、さらに一歩進んで菜食主義的な食習慣に切り替えていくことによって、畜牛農業を支えるための土地需要も相応に下がっていくだろう。これによって森林破壊を行う動機も弱まる。また、牛肉食品への需要が下がれば、対応して世界の畜牛頭数も減り、結果として牛由来のメタン排出量も減るだろう。さらには、農地当たりの食料生産量という点で既存の企業的工業型農業が有機農業に対してもつ優位性も小さくなるだろう。

化石燃料の燃焼によるエネルギー産出は、気候変動の主原因であるだけでなく、大気汚染の大きな原因にもなっています。世界的に見て、大気汚染が人体の健康に及ぼす影響はどれくらい深刻なのでしょうか。

ポーリン　大気汚染は世界中で深刻な健康被害を生んでいる。健康影響研究所[45]が２０１９年に発表した研究によると、世界人口の90％以上が世界保健機関（ＷＨＯ）の空気質ガイドラインが「安全でない」と定める空気を呼吸している。[xxxiv] そのため、大気汚染が高血圧、喫煙、そして高血

（45）　Health Effects Institute　通称ＨＥＩ。アメリカのマサチューセッツ州に拠点を置く研究所。より清浄な空気やより優れた健康の実現を目標に活動を展開している。

糖に次ぐ4番目の死亡リスク要因となっており、２０１７年には世界中でおよそ５００万人の命を奪ったという事実も決して驚くに値しない。低所得国において、大気汚染は最大の死亡リスク要因となっている。また、大気汚染は世界で4番目に大きい「疾病負担」要因でもある。疾病負担とは人々が病気を抱えて生きる年数のことだが、およそ1億５０００万人もの人たちが大気汚染による早発性の疾病や障がいに苦しめられている。

大気汚染は「屋外汚染」と「屋内汚染」の2つのカテゴリーに分類できる。石油と天然ガス、そして特に石炭の燃焼は、気候変動の主原因であるに加え、屋外大気汚染の最大の原因でもある。石炭燃焼は毒性レベルの二酸化硫黄や煤塵（ばいじん）の微粒子を放出し、石油や天然ガス、そして石炭の燃焼も毒性量の酸化窒素を大気圏に放出する。屋外汚染のもう一つの主原因は山火事だ。気候変動はより頻繁により激しい山火事を引き起こす。例として、２０１９年にカリフォルニア北部を襲った火事や、２０２０年にオーストラリアをさらに激しく襲った火事が挙げられる。こうした激しい山火事は異常気象の組み合わせによって引き起こされる――通常よりも雨量の多い雨期に過剰に繁殖した草木は、後に熱波や干ばつが長引くと乾燥燃料に変貌するわけだ。屋外汚染の第三の要因はエネルギー産出を目的とするバイオマス燃焼だ。総じて、化石燃料や高排出量バイオエネルギーに代わる地球規模のクリーンエネルギーのためのインフラ整備事業は、屋外大気汚染の主な原因の解消にも貢献するだろう。

屋内大気汚染もバイオマス燃料源の燃焼によって、すなわち調理や暖房のために焚き木や農産廃棄物、糞などを燃やすことによって引き起こされる。これはほぼ例外なく低所得国の貧困家庭のみにおいて行われる。よって、屋内大気汚染は屋外大気汚染ほど直接的に化石燃料の燃焼に起因してはいない。それでもなお、クリーンエネルギー変革を達成し、安価な電力を小規模なソーラー発電所や風力発電所を通して農村部に送電できれば、家庭は家の中でバイオマスを燃やす必要性から解放される。そうなれば屋内大気汚染も無くなる。

ここ30年間で大気汚染の健康リスクは世界規模で大幅に低下した。大気汚染による死亡者数は１９９０年には10万人当たり１１１人だったが、２０１７年には10万人当たり64人にまで減った。とはいえ、こうした進歩はほぼすべて屋内大気汚染の減少に、すなわち冷房や暖房のために固形燃料を燃やす家庭の数の減少に起因する。つまり、同期間中、屋外大気汚染からくる健康リスクの減少のための努力はほぼまったく行われてこなかった。世界規模のクリーンエネルギーインフラ設備への移行なくしては、屋外大気汚染の影響も悪化の一途を辿るだろう。その原因は、低所得国における農村部から都市部への移住者の増加だ[46]。都市では化石燃料支配型の既存の経済成長

(46)　because of the rising proportion of the overall population in low-income countries migrating from rural areas into cities　論拠や出典が不明瞭な主張。例えば中国における都市への移住がPM2.5への暴露量に与える影響を調査した研究では、都市部への移住は暴露量を下げるという結果が

の傾向に従って大気汚染が悪化するだろう。

マサチューセッツ大学アマースト校の経済学者、ジェームズ・ボイス(47)が２０１５年のニューデリーの状況に焦点を当てて書いた報告書には、急成長を続ける低所得国における主要都心部の実態が鮮明に描かれている。

最も危険な大気汚染物質の一つに粒子状物質（ＰＭ）がある。デリーにおけるＰＭの発生源は様々であり、都市での夜間走行が許されているディーゼルトラック、急激に数が増えている乗用車、都市を囲い込むように並ぶ石炭火力発電所やレンガ焼成窯、建設廃材、そしてゴミの野焼きが含まれる。粒子は空気質指数（ＡＱＩ）によって計測される。50以下のＡＱＩは「良好」とされる。３００以上の数値は「危険」とみなされ、多くの国々で緊急警報が発令される。デリーで私は最寄の観測地からのＡＱＩデータをチェックする癖がついた。バレンタインデーの朝に確認した際には、粒子のＡＱＩは３９９だった。これは一夜で６６８という、標準のＡＱＩカテゴリー表から逸脱するほどの数値に達した。これよりもさらに高い数値を記録したこともあった。デリーに私が到着する1ヶ月前に、国内トップの環境活動団体であるインド科学環境センターはある研究を発表した。研究調査の一環として地元住民はそれぞれ大気汚染モニター機器を携帯しつつ日常生活を送ったのだが、中には１０００を超

える数値を記録した機器も存在した。[xxxv]

高所得国の状況はほぼ例外なくこれよりマシだ。アメリカやドイツにおける大気汚染による死亡者数はインドの7分の1であり、日本に至ってはインドの12分の1という少なさだ。それでもなお、ほとんどの高所得国においても屋外大気汚染からくる健康被害はかなり大きい。また、高所得国内でも被害の内容は階級や人種によって大きく異なる。ここでもボイスらはアメリカにおけるこうした差異を記録するという先駆的な仕事をした。例えば２０１４年の研究では、アメリカ中西部における貧しい有色人は貧しくない白人に比べ有害な大気への暴露量が2倍であること

出ている。また、都市部は農村部と比べ大気汚染が深刻なため、都市部への移住者が大気汚染問題のせいで農村部へとんぼ返りしてしまい、都市化政策が失敗しているという事例もある。参考文献：Huizhong Shen, et al., "Urbanization-induced population migration has reduced ambient PM2.5 concentrations in China," *Science Advances*, 3: 7, 2017, e1700300; Ziming Liu and Lu Yu, "Stay or Leave? The Role of Air Pollution in Urban Migration Choices," *Ecological Economics*, 177, 2020, 106780.

（47） James K. Boyce　マサチューセッツ大学アマースト校経済学名誉教授。専門は環境経済学であり、特に発展途上国における持続可能かつ公平・公正な経済発展に関する研究功績で名高い。コロンビアにおける農地の権利やアメリカにおける水質保護などの諸団体の顧問も務めた。

が判明した。また貧しい白人は貧しくない白人に比べ暴露量が13%多いという結果も出ている。貧しくない有色人ですらも貧しい白人に比べ暴露量が約30%多いという点は特筆に価する。[xxxvi]

俯瞰してみると、大気汚染と気候変動の深い相互連関は火を見るより明らかだ。グローバル・グリーンニューディールによって気候を安定させれば、大気汚染問題の大半や大気汚染に付随する深刻な健康問題も合わせて解決できるだろう。大気汚染をほぼ全般的に解消できた場合、低中所得国の人々や高所得国における低所得層や少数派の人々が特に大きな恩恵を受けるだろう。これこそ、グローバル・グリーンニューディールが人類の平等と環境の健全化を一緒に実現するプログラムとなる可能性を示す好例だ。

第2章　資本主義と気候危機

2015年にパリで締結された国連気候協定、通称COP21協定を、世界の各国首脳は（ドナルド・トランプを除いて）外交上の大きな功績として賞賛しました。他方で、環境活動家を始めとする人々は、この協定には実効性がないとしてこれを正当に批判してもいます。実際、パリ協定には法的拘束力が一切ありません。そこでチョムスキーさんに質問です。気候変動を抑えるための活動がこれほど難航しているのはなぜなのでしょうか。

チョムスキー　ＣＯＰ21以降へと視野を広げてみれば、気候変動の抑制がこれほど難航している理由についても様々なことが言えるようになるだろう。他方で、パリ協定の実効性の無さについては理由がはっきりしている。

当初の目標は、法的拘束力をもつ約定を含む協定の確立だった。サミットの議長を務めたローラン・ファビウス[1]も、この目標を力強く再確認していた。しかし、これに対してはある障壁が存在した――当時のアメリカの連邦議会で与党だった共和党だ。共和党は具体的な内容をもつ合意を一切拒否していたからだ。

パリ協定の妨害という意図を、共和党指導部は見事なまでに堂々と認めていた。その理由の一つに、共和党の鉄球は憎きオバマ政権の一挙一動をすべて木っ端微塵にするべきだという方針があったが、これを共和党はもはや隠す努力すらしなかった。オバマが当選したときにも、上院多数党院内総務ミッチ・マコーネル[2]はこの方針をはっきりと宣言していた。もう一つの理由として、アメリカの権力への外的制約にはすべて反対せよという基本原理がある。とはいえ、今回の決定は、迫り来る気候危機への対策をすべて拒絶するという党指導部の一貫した方針から来ている。この方針は民間富裕層や企業権力への奉仕という共和党の歴史に端を発し、新自由主義時代においてさらに顕著になった。

『ポリティコ』紙の報道の情報源によると、マコーネルは共和党が綿密に練り上げた計画に従い、諸外国の大使館に向けてこう言った。「共和党はオバマの気候関連計画に全面的に反対していく予定だ」。マコーネルはさらに、共和党が与党である上院に提出される協定は「すべて直ちに潰していく[3]」とも明言している。「共和党の某エネルギー産業ロビイストは、こうした協定が賛成3分の2というハードルを越えるのは『不可能だ』と言った。『人生において確実に言えることというものは数えるほどしか存在しないが、これはその中の一つだ』」。また、共和党は「地球温暖化の影響に適応する手助けとして貧困国に数十億ドル（数千億円）の援助を行うというオバマの約束を阻止する」という点も明確にしており、地球温暖化に対する他の取り組みも妨害する構えをとっている。ある評論家は「共和党は気候問題における大悪党へと変貌している」[i]と言ったが、的を射た言葉だ。

（1）　Laurent Fabius　フランスの憲法評議会議長。社会党所属。１９８４年から１９８６年まで、当時としては最年少で首相を務めた。首相在任中は「市場経済に基づく社会主義」を推進し、社会保障政策や失業対策などを充実させたものの、緊縮政策の実施も祟って経済格差は任期中に拡大した。２０１５年のＣＯＰ21開催時にはフランスの外務相を務めており、その交渉力はパリ協定の成立にとって欠かせなかったとして高く評価されている。

（2）　Mitch McConnell　ケンタッキー州連邦上院議会議員。共和党所属。議事妨害（フィリバスター）を駆使する議員として知られている。２０２０年にジョージア州での上院議会選挙で民主党候補者が当選し、サンダースとキングの2名の無所属議員が民主党寄りであるという点や、２０２１年のバイデン大統領・ハリス副大統領の新任も相俟って、連邦上院議会では２０２１年に民主党が事実上の与党となった。その後マコーネルは上院少数党院内総務を務めている。

（3）　dead on arrival　慣用句。「到着した瞬間に死亡させる」が転じて「検討を一切せずに潰す」という意味になる。オバマが牽引したというだけの理由で内容を一切検討せずにすべての提案を攻撃しようという構えに、アメリカの政治における分断の深さや議会政治の機能不全が現れていると言えるだろう。

共和党という組織の特徴をしっかりと理解することも重要だ。まだこれが理解できていなかった人々にも、2016年共和党予備選のおかげで実態が一目瞭然となったはずだ。この予備選には選りすぐりの人材と謳われた政界人たちが勢ぞろいしていた——動揺する共和党体制を尻目に颯爽と優勝を勝ち取ったあの余所者を除いての話だがね。候補者たちは一人残らず、現在進行形で起こっている現象を否定し、あるいは現象を渋々認めつつもこれを問題視する必要性を否定した（後者は元フロリダ州知事のジェブ・ブッシュとオハイオ州知事のジョン・ケーシックという「穏健派」の候補者たちがとった立場だ）。ケーシックはこの中で最も真面目で冷静な候補者であると評された。確かにケーシックは基本的な事実を認めたという点で主流から逸脱していたが、彼は「オハイオではこれからも石炭を燃やし続ける予定だ。それについて後ろめたく思う必要は一切ない」[ii]とも言っている。

組織立った人間生活の破壊に満場一致で賛成しているわけだ。しかも、最も尊敬されている人物が最もグロテスクな立場を取っている。

驚くべきことに、この驚愕のスペクタクルに対して主要言論諸機関[4]はほぼ一切コメントをせずに傍観を続けた。この事実がもつ意味は決して小さくない。

唖然とするような現状だが、こうなるまでの経緯は考えてみるに値する。一般論的な理由もある（ここではこれに深入りする余裕はない）が、他方でこの現象に固有の核心的な理由も存在する。10年前の共和党とその関連組織は、議会政治の通常の範囲からすでに逸脱してはいたものの、指導部が認めている真実を全力で否定しにかかるような真似はしなかった。これがどういう経緯で変わったかを考えれば、階級意識の高い実業界においても特に反動的で執念深い一派が幅を利かせている今の政局も理解できるようになるだろう。

この世界の実像を垣間見る機会は、2019年8月にデイビッド・コーク[5]が亡くなったときに訪れた。これはちょうどコーク帝国とアメリカ実業界に関する大がかりな研究をクリストファー・レナード[6]が発表した時期と重なった。レナードは研究結果の一部を一般向けの記事やインタビューで紹介している。

（4）the mainstream　狭義のメディアだけでなく主流の学者やその他の言論媒体も含む広い意味での「主流」を意味する一語。「主要メディア」と言えばより自然だが、チョムスキーの批判は狭義のメディアだけでなく学界などの言論機関一般にも向けられているため、文意がやや歪められてしまう。

（5）David Koch　石油、エネルギー、金融商品等を扱う巨大複合企業「コーク・インダストリーズ」社の元副社長。同社CEOのチャールズ・コークは実兄。ロビイストとしても巨額の政治献金を続けており、2012年にはオバマ大統領の再選を阻むキャンペーンへ1億ドル（110億円）以上の献金を行った。同年でコークはアメリカで4番目に裕福な富豪でもあった。

（6）Christopher Leonard　アメリカのジャーナリスト。著書に『Kochland』『The Meat Racket』などがある。

レナードはデイビッド・コークを「究極の否定論者」と呼んでいる。人為的地球温暖化を心の底から本気で否定していたという意味だ。これはもしかしたら否定論の成否に莫大な富がかかっていたからかもしれないが、この可能性はとりあえず脇に置くとしよう。否定論の拡散が失敗した場合にコークが失いうる富の大きさを、レナードは30年間で数兆ドル（数百兆円）と推計している。[iii] とはいえ、ここではあえて不信の念を脇に置き、[(7)] コークの信念は誠実なものだったという点を認めてみよう。実際、誠実さがそこにあったとしても特に驚くべきことではない。奴隷制度の看板イデオローグ、ジョン・C・カルフーン[(8)]も、アメリカ南部の惨たらしい奴隷労働収容所はより高次の文明のために必要な基盤だと本気で信じていたはずだ。他にも似たような例はたくさんあるが、ここでは節度を守りこれ以上の列挙は控えておく。

コーク兄弟の否定論は弁舌による説得という域をはるかに超えている。二人の富の源泉は化石燃料の抽出と乱用だが、二人はこれに対して一切邪魔が入らないようにと、手段を尽くして大掛かりな運動を展開していた。レナードはこう回想している。「デイビッド・コークは、温室効果ガスの規制を提案するような共和党穏健派議員を議会から排除しようと、惜しみない努力を数十年間続けた」[iv]。こうした努力は必ずしも実を結ばなかった。２００９年から２０１０年にかけて、共和党議員たちは現実に目を向け始めており、市場に基づく温室効果ガスのキャップ・アンド・トレード案[(9)]を支持する間際まで来ていた。２００８年にはジョン・マケイン[(10)]が気候変動に対して警鐘を鳴らしつつ共和党の指名候補として大統領選挙を戦った。これに対してコーク軍団は、マイク・ペンス[11]を始めとする参謀たちを引き連れて「異端者たち」の出鼻をくじき、否定論に異を

(7)　suspend disbelief　創作物を観賞する時にその虚構性を一時的に忘れる行為を指す言葉としても使われる。劇場型政治への皮肉や批判が暗に込められているとも解釈できる。
(8)　John C. Calhoun　1782年生のアメリカの政治家。1825年に副大統領に就任。保護関税擁護論をはじめ国家開発や近代化の推進を掲げていたが、1820年代を境目に州の自治権強化をはじめとする小さな政府推進派へと転じた。晩年は南部の各州による奴隷制度の実施の自由を擁護し、1837年2月には有名な「確かな善としての奴隷制度」スピーチを行った。
(9)　cap-and-trade　国や自治体、企業などを対象に「排出上限」(cap)を設定し、この上限内で排出権を「取引」(trade)する制度。国や地域ごとの産業や地理の条件の多様性に配慮しつつ、世界レベルで排出量削減目標を公正に達成することを目標としている。主な実用例としてEUの排出権取引制度がある。
(10)　John McCain　アリゾナ州連邦上院議会議員。海軍士官、ベトナム戦争への派兵など経て、1982年に共和党下院議員として政界入り。2008年には共和党指名候補として大統領選挙を争ったが、オバマ大統領に敗れた。特に国内政治では党派政治にのまれない独立した政治家として知られており、地球温暖化対策の重要性も認めている。自伝三部作『Faith of My Fathers』『Worth the Fighting For』『The Restless Wave』(未邦訳)も参照。
(11)　Mike Pence　インディアナ州連邦下院議会議員、第48代アメリカ副大統領。共和党所属。2020年にはアメリカの「新型コロナウイルス対策本部」本部長を務めた。ティーパーティー運動のメンバーとしても知られる。また敬虔な福音派カトリック教徒でもあり、キリスト教の世界創

唱えるような穏健派議員を共和党から排除し、頑固な抵抗勢力に対しては公のバッシングと個人献金を組み合わせてねじ伏せた。その結果が今の私たちが直面しているこの状況だ。それは「実在する民主主義[12]」に関する教訓でもある。

　レナードはさらにこう続けている。コーク一味は「自分の形に似せて共和党を創造しようとした[13]。それは気候変動に対する行動を一切検討しないばかりか、問題の現実性そのものを否定し続けるような党だ」。これは大きな成功を収めた。

　コーク軍団には本当に感心せざるを得ない。ありとあらゆる手段を尽くして運動を続けたからだ。裕福な献金者のネットワーク、世論を動かす力をもったシンクタンク、そしてアメリカ国内でも最大規模のロビイスト団体を動員したからだ。また、少なくとも建前上は戸別訪問を基調とする草の根団体である集団も組織したわけだが、これはティーパーティー運動の創出と形成にほぼ等しい。コーク軍団は他にも様々なねらいをもっていた。労働者の権利の弱体化、労働組合の粉砕、そして一般の人々にとってプラスとなるような政策の妨害だが、これはアメリカでは「リバタリアニズム」と呼ばれている[v]。

　コーク兄弟率いるこの軍団は実に秀逸だ。地球の大気圏を汚染させつつもその対価は一切支払わず——業界でこれは単なる「外部性[14]」だとされている——それによって得た巨額の利益の使い道を入念に計画し見事に実行してみせているからだ。新自由主義は個人の富や企業の力を潤してきたが、これが脅威にさらされるにつれて、今度は野蛮な資本主義体制が頭角を現してきている。コーク軍団はこうした状況を象徴してもいる。

共和党も民主党も新自由主義時代を通して右傾化を続けてきた。これはヨーロッパにおいても見られる傾向だ。今の民主党の体制は、数年前に「共和党穏健派」と呼ばれていたものとさして変わらない。共和党はと言えば、もはや政治的スペクトルの極にすら収まっていない。共和党の立場はヨーロッパにおける右翼の過激派グループのそれに近いとする比較研究もある。また、先

生神話や知的設計説（インテリジェント・デザイン説）への信仰を公言している。

(12)　really existing democracy　理念としてではなく、政府や機関、制度やその他の団体などといった形で実際に存在する民主主義体制を指す言葉。アメリカ主導の第三世界諸国の「民主化」の文脈で使われることが多いが、アメリカ自身に向けてこの言葉を使うことで、チョムスキーはアメリカの偽善や欺瞞を批判している。

(13)　tried to build a Republican Party in its image　旧約聖書「創世記」第1章26節を起源とする慣用句。

(14)　externality　経済学用語。ある経済的取引がその取引の外に存在する他の経済的主体に及ぼす影響のこと。環境政策の文脈では、環境汚染や温室効果ガス排出などの負の影響を指して用いられることが多い。なお、外部性の影響は定義上これを生み出している当の主体に費用を負わせない。チョムスキーはここで石油企業が経済学の用語の定義上で免責されてしまうという問題を指摘している。

述したように、共和党は世界の主要な保守政党の中で唯一人為的気候変動を否定している。世界的に見ても特異な例だ。

指導部の気候変動に対する見解は、共和党支持者の態度にも確かな影響を与えている。共和党員のうち、地球温暖化の人為性を認めているのはたった25％（情報通なミレニアル世代の場合は36％）となっている。[vi] 衝撃の数値だ。また共和党員の優先課題リストにおいても、地球温暖化は（仮にその現実性が認められていた場合でも）優先順位が一貫して低いまま選挙年に至っている。

現在の共和党を人類史上最も危険な組織と呼ぶのは行き過ぎだという意見もあるかもしれない。たしかにそうかもしれないが、危険にさらされているものの大きさを思ってみたとき、はたしてこれの他に合理的な結論がありえるだろうか。

共和党による妨害活動[15]が仮に無かったとしても、アメリカがパリで法的拘束力をもつ約定に合意する可能性は低かった。アメリカは国際協定を承認すること自体が稀であり、承認をするときにもアメリカを協定から除外するような条項を付随させることが多い。これはジェノサイド条約[16]においてですら当てはまる。アメリカは40年間の交渉を経てようやくこれに署名したが、アメリカは条約から除外されており、大虐殺を行う権利を保持している。似たような例は他にもたくさんある。

ＣＯＰ21に話を戻そう。協定に実効性がない理由は直接的には共和党だが、仮に世界史上最も危険な組織による妨害活動がなかったとしても、アメリカが法的拘束力をもつ約定に合意する可能性は低かった。

こうした妨害活動の背景には、アロン・タルが発したあの問いが鳴り響いている。そもそも各国政府にとって、危機への現実的な対処はなぜこれほど難しいのか。この問いの背景には、さらに別の問いが隠れてもいる。文字通り組織立った人間生活の存続がかかっているにも関わらず、多くの人々はなぜこれほど簡単に見てみぬふりをするのだろうか。

フランスのあの驚くべき「黄色いベスト」反乱運動[17]のある参加者は、こうした問いに一つの答

(15)　obstructionism　「議事進行妨害」と訳されることが多いが、原語は議事進行に限らず広い意味での政治的進歩の妨害を指す。メディアに「御用学者」を送り込んで気候変動に関する科学的知見についての世論をかき乱したり、SNSで陰謀論を広めたりする活動もそこには含まれている。

(16)　Genocide Convention　正式名称は「集団殺害罪の防止および処罰に関する条約」。第二次世界大戦中のナチスによる「人道に反する罪」を裁いた「ニュルンベルグ裁判」においてユダヤ人虐殺が「ジェノサイド」と呼ばれ、その後1948年の国連総会でジェノサイド条約が採択された。第Ⅸ条では、条約の解釈、適用、そして遵守をめぐって争いが起こった場合、いずれの当事者もかかる争いを国際司法裁判所へ提出してよいということになっているが、アメリカは条約批准時に「ただし、第Ⅸ条に該当する争いにおいてアメリカ合衆国が当事者である場合、国際司法裁判所へのかかる争いの提出はアメリカ合衆国による承認無しには認められない」という留保条項を追加した。

えを与えていた。
反乱運動の直接の原因は、エマニュエル・マクロン[18]が環境問題への解決の一環という建前で2018年に提出した燃料税増税案だった。この案は農村部に住む貧困層や労働者に対して特に大きな打撃を与えるものだった。抗議運動の背景には、富裕層に恩恵をもたらしつつ貧困層や労働者を苦しめるようなマクロン主導の「改革」があった。反乱運動のあの参加者も、あるいは熱心な環境活動家だったかもしれない。参加者はこう言った。あなたたちは「世界の終わり」を語るが、私たちは「今月の終わり」で頭が一杯だ。あなたたちの「改革」を私たちが切り抜ける道はあるのか、とね。

実に真っ当な問いだ。この問いは瞬く間にスローガンとなり、この運動はパリひいてはフランス全土を席巻した。環境運動はこの問いを無視してはならない。

地球温暖化というものにはどこか抽象的な響きがある。子どもたちのために明日の食事を用意する必要性と比べたら、摂氏1・5度と摂氏2度の違いを理解するのは難しい。なるほど嵐や熱波などの異常気象の頻度は上がったかもしれない。他方で、誰でも次のような体験談の一つや二つは持っているものだ。「私はマサチューセッツ州でたくさんのハリケーンを経験したが、その中で最も威力が高いハリケーンが起こったのはもう70年も前のことだ。天気は常に変わるもので、暖かい時期もあれば寒い時期もあるというトランプの主張も案外正しいのかもしれない……」。

明日の食料にありつけるかどうかで頭が一杯になっている人たちは、こうした思考回路の罠にはまりやすい状態になっている。

そもそも、数十億人もの中国人やインド人が大気圏に汚染物質をこれでもかという勢いで放出している（とFOXニュースが報じている）ときに、カーター大統領の暗い指示に従って暖房を弱めに設定し、厚いセーターを着込み、日常生活の習慣を見直す意味は一体どこにあるのだろうか。

あるいは、バーニー・サンダースの集会で歓声をあげていたウェストバージニアの鉱山労働者たちを思ってみてほしい。人類が存続するためには石炭の生産を止める必要がある、とサンダー

(17)　Yellow Vest uprising　燃料税引き上げや緊縮政策への抗議運動としてフランス全土で2018年11月に立ち上がった反対運動。セーヌ＝エ＝マルヌ県の女性1名が始めたオンライン署名運動と男性2名がフェイスブックで始めた抗議運動を発端とし、黄色いベストを着用した参加者が数十万人単位で各地の道路を封鎖した。2021年6月現在も継続中の超党派・草の根社会運動であり、参加者数は数十万人におよぶ。最低賃金の引き上げ、燃料税の減税・廃止、農村部への行政サービスの拡充、緊縮政策の廃止などを呼びかけている。

(18)　Emmanuel Macron　第25代フランス大統領。フランスの歴史上最年少の大統領としても知られている。2014年に親EU派の財務相に就任した後、2016年には右派・左派の党派政治に代わる第三の道を提唱する政治団体「アン・マルシュ！」（前進！）を立ち上げた。

スが言ったとき、歓声は鳴り止み、誰も拍手をしなかった。失業を意味する一言だったからだ。サービス産業やソーラーパネルの設置業務といった成長産業における職には魅力がない。また、年金や健康保険といった、雇用に付随し苦しい組合交渉を制して勝ち取ったものも失われてしまう。失業は労働者の尊厳だけでなく、生存のための手段も奪ってしまう。

これもまた、1950年代にアメリカの労働者階級が行ったあの運命の決断に端を発する。賃金や手当を企業経営陣と交渉しつつ、職場の自治権や広義の社会改革は放棄し、階級同士の協調を選ぶという決断だ。アメリカの労働者階級のリーダーたちによるこの決断とは対照的に、カナダの労働組合は自分たちだけでなくカナダの国民全員への健康保険の提供を求めて闘った。その差は火を見るより明らかだ。カナダでは健康保険制度が機能しているのに対して、アメリカは国際的に見てスキャンダラスな状況にあり、類似の他国と比べ費用が2倍ほど高いにも関わらず医療や保険の質は他国よりも低い。アメリカの制度はかなりのところまで民営化されており、その効率の悪さや手続きの煩雑さ、そして利潤の追求がこうした結果を招く大きな要因となっている。

階級間の協調を選んだ結果、アメリカの労働者階級のリーダーたちはさきほどの鉱山労働者や似たような境遇にある人々を企業経営陣の言いなりにしてしまった。経営陣側は協調の取り決めをいつでも破ることができ、現に新自由主義時代の到来と共にかなり大胆にこれを破ってもいる。1978年に全米自動車労働組合委員長のダグラス・フレーザー[19]は、労働者階級側のリーダーたちが階級闘争の放棄に合意したにも関わらず、実業階級側はこれを一瞬たりとも放棄せずに続けていたという事実をようやく認めた。フレーザーは「実業界のリーダーたち」を「我が国に対して一方的な階級闘争を、すなわち労働者や失業者、貧困層や少数派、年少者や年配者、果ては中産階級の人々に対してですら闘争を仕掛けた」のみならず「過去の成長と進歩の時期において存在したあの壊れやすい言外の取り決めを破り捨てた」として批判した。[vii]

これは特に驚くべきことでもない。先進国としては他に類を見ないほど、アメリカでは実業界の階級意識が高く、また労働者に対する暴力的な抑圧という苦々しい歴史も存在するからだ。その後、新自由主義的グローバリゼーションが何年も続いた。そのねらいは、投資家や所有者の階級に利益をもたらし、その代償をアメリカの労働者たちに背負わせることだった。これと並行して、同様の原理に基づく新自由主義的「改革」も行われた。その結果はもはや周知の通りだ。富が一気に集中し、正常な民主主義社会に火の子が降りかかり、実質賃金が停滞した。今の労働者たちの購買力は40年前とほとんど同じだ。[viii] レーガン政権は極端な反労働者階級の立場をとったが、労働組合は同政権から容赦ない攻撃を受け、レーガンの後継者たちもこれを継続した。労働

(19)　Douglas Fraser　労働組合活動家。１９７９年にクライスラー社を破産から救済するためにアメリカ連邦政府とクライスラー社従業員の間での交渉を取り持ち、同社の救済に成功したことで有名。公民権運動を支持するなど、リベラル派の社会運動にも積極的に貢献した。

運動の解体は新自由主義政治の大きな功績だと言える。社会など存在せず、連帯せずに孤立した個々人が独力で市場規律による管理に立ち向かうのみとするサッチャー・ドクトリンの成果だ。これは新自由主義の起源である1920年代のオーストリアにまでさかのぼる、新自由主義の中核を成す原理だ。同じ理由から、極右「リバタリアニズム」の教祖、ルートヴィヒ・フォン・ミーゼス[20]も、「正しい経済学」への干渉を阻むために、1928年にオーストリアで盛り上がっていた労働運動や社会民主主義運動の国家暴力による粉砕を心から歓迎した。これは後のオーストリア式ファシズムの土台を作ったわけだが、現にミーゼスは主著『自由主義』において、ファシズムをヨーロッパ文明の救い主として称賛している。

もちろん、この孤立化の原理[21]はソースティン・ヴェブレン[22]が「基盤となる人々[23]」と呼ぶ層に対してのみ当てはまる。重要な人々、すなわち私的財産と企業権力をもつ人々は、自分たちの階級の目的の実現に向けて密に連携しており、私腹を肥やすために国家権力をうまく利用している。そのかたわらで、その他大勢は「袋一杯のジャガイモ」になる――これはマルクスが当時の独裁体制を糾弾して使った言い回しだ。ジャガイモたちは連携が取れておらず、日に日に不安定な仕事へと追いやられており、今まで以上に簡単に支配されるような状態にある。

さきの鉱山労働者や同じような境遇にいる人々へと話を戻そう。この人たちは黄色いベスト運動のスローガンに心を動かされつつも、同時に今回の環境危機を乗り越える上で必要不可欠な大規模動員には抵抗を示した。その理由には妥当なものが多く、それが何なのかを見て取るのもそう難しいことではない。

（20）　Ludwig von Mises　１８８１年生、オーストリアの経済学者。ハイエクの師匠としても知られている。主著『Human Action』（『ヒューマン・アクション―人間行為の経済学』村田稔雄訳、春秋社、２００８年）では、経済学を行動科学によって基礎付けようとした。ケインズなどのより経験的かつ数理的な経済学者と比べると、ミーゼスの経済学は「非科学的だ」とする見方もある。ハイエクも師の理論について「その結論にはしばしば同意するものの、そこに至るまでの議論は十分に満足なものだとは必ずしも言えない」と１９７８年に行われたインタビューで語っている。

（21）　atomization principle　難解に感じられるかもしれないが、要するに「社会は存在せず、あるのは個人だけだ」という前段落のサッチャー・ドクトリンのことだ。ハンナ・アーレントが『全体主義の起源』で展開した大衆論などとも響きあう。アーレントはそこで、階級意識などの社会的意識を持たない孤立した個人の寄せ集めを「大衆」と呼び、全体主義の成立条件の一つとして提示した。

（22）　Thorstein Veblen　１８５７年生、アメリカの経済学者・社会学者。主著『有閑階級の理論』では「衒示的消費」（conspicuous consumption）の概念を確立し、産業資本主義社会における需要創造に上流階級の消費行動が担う役割やその社会的な害悪を綿密に分析した。

（23）　underlying population　後期ヴェブレンが頻繁に用いた言い回し。利益の追求に明け暮れる「実業の体制」を下から支えつつ、生計を立てるために労働をする人々を、ウェブレンは「基盤となる人々」と呼んだ。有閑階級のきらびやかな消費行動に魅了されつつ働き続ける人々という意味では、「underlying」という語からは「従順な下層民」という響きも聞き取れるだろう。

一連の出来事は、組織の統率者や活動家にとって重要な教訓を与えてくれている。労働運動の再生は必須だが、その理由は様々だ。環境危機もこうした理由の一つに含まれる。袋一杯のジャガイモも、組織を形成し、活動的になり、初志を貫徹できるようになれば、環境運動を牽引するような勢力となるだろう。そもそも、これは今回の問題によって自分の生活や将来が危機に瀕する当人たちによる運動だからだ。これは単なる空想ではない。1920年代のアメリカにおける労働運動は活発だったが、国家と実業界から直接的な暴力も頻繁に伴う形で抑圧され続け、ついに粉砕されてしまった。労働史学者、デイビッド・モントゴメリー[24]の古典的作品『労働院の没落』の書題はまさにこの時期への参照だ。しかしながら、その数年後には活発で積極果敢な労働運動が灰から蘇り、ニューディール改革を牽引した。おかげで戦後経済成長期におけるアメリカの人々の生活の質は大きく向上した。これは人々が新自由主義による襲撃を受ける前の話だ。バーニー・サンダースが語る革命も、ドワイト・アイゼンハワー[25]ならば当然のごとく受け入れただろう。アイゼンハワーはニューディール政策の熱烈な支持者だったわけだが、これはぜひとも覚えておくべき点だ。

新自由主義時代における変遷の極端さを見定めるためにも、ここで最後の保守派大統領[26]の態度を思い出してみよう。アイゼンハワーはこう宣言している。

労働者たちが組織を作れずにただ怯え無力ですらあった時代、そのような過去への回帰という馬鹿げた夢を胸に抱く者には、所属政党を問わず退散していただきたい。……労働組合の破壊などという醜悪な考えを抱くのは、一部の時代遅れの反動者たちだけだ。任意の労働組合への加入の権利を労働者たちから奪おうなどと目論むのは、真正のばか者だけだ。……社会保障や失業保険を廃止し、労働法や農業支援制度を撤廃しようなどと目論む政党は、私たちの政治史から速やかに消し去られるだろう。もちろん、こうしたことをしても良いと信じ

---

(24)　David Montgomery　イェール大学歴史学教授。アメリカにおける労働史の先駆的研究者として知られている。政治活動にも尽力し、労働組合運動などを牽引した。また兵役中はマンハッタン・プロジェクトにも携わった。主著『The Fall of the House of Labor』（未邦訳）はピュリッツァー賞候補になった。

(25)　Dwight D. Eisenhower　第34代アメリカ大統領。共和党所属。ニューディール政策を継続しつつ、社会保障の拡充を促進した。戦後アメリカ経済の黄金期を統べた大統領であり、退任演説では国内産業における米軍の影響力の拡大を憂慮し「軍産複合体」という言葉を造った。

(26)　the last conservative president　名前だけの保守派大統領ではなく、「真の保守の理念」を体現した最後の大統領という意味合い。レーガン大統領こそが最後の「真の」保守派大統領だったとする見方もある。ちなみにドワイト・アイゼンハワーは共和党だったが、チョムスキーも示唆しているように、現代の共和党大統領がニューディール政策を支持するなど到底考えられない。ここからも、共和党だけでなくアメリカ政治全体の傾向の極端さが見て取れる。

る部外者たちも極少数だが存在する。そこには……少数の……テキサス州石油成金の億万長者たちや、他の地域のはみだし者の政治家や実業家が含まれる。それは取るに足らない人数であり、皆そろってばか者だ。[ix]

ところが、この人たちは実はまったくばか者ではなく、むしろ入念に連携し、初志に忠実で、「こうしたことをしても良い」という点を証明する機会をうかがっていた。これが新自由主義時代の基本精神だ。

1930年代における労働運動の再生は重要な先例だが、他にもより現代的な例が存在する。思い出してほしい。最初期の最も影響力のある環境活動家の一人は労働組合のリーダーだった——石油・化学・原子力労働者国際組合（OCAW）[27]の長、トニー・マゾッキ[28]だ。OCAWの組合員たちは現場の最前線に立ち、仕事場で毎日環境破壊と対峙し、個人の生活に対する企業側の襲撃から直接被害を受けていた。マゾッキのリーダーシップの下で、OCAWは1970年の労働安全衛生法（OSHA）[29]の成立の原動力となった。OSHAは労働者に職場での保護を提供したが、これに署名をしたのはアメリカの最後の自由主義大統領[30]、リチャード・ニクソン[31]だった。ここでの「自由主義」はアメリカ的な用法で、社会民主主義をそれなりに体現していたという意味だ。

マゾッキは資本主義を痛烈に批判しつつ、環境運動に全力で取り組んでいた。労働者は「工場の環境を自ら制御」しつつ、同時に産業汚染への対策活動も牽引すべきだとマゾッキは考えてい

（27）Oil, Chemical and Atomic Workers International Union　正式には１９５５年から１９９９年まで存在した、アメリカ労働総同盟・産業別組合会議所属労組。石油・化学部門における最大の労組だったが、１９８０年代以降アメリカにおける石油精製所が軒並み閉鎖されていくにつれて加盟者数も減った。弱体化を克服するためにＯＣＡＷは１９９９年に Paper, Allied-Industrial, Chemical and Energy（ＰＡＣＥ）労働者国際組合へと合併した。

（28）Tony Mazzocchi　１９２６年生。アメリカの労働組合運動の旗手であり、１９５３年に26歳の若さで労働組合ＵＧＣＣＷＵの委員長に就任し、以後30年以上にわたって精力的な活動を続けた。１９９６年にはアメリカ労働党を結成し、また１９７２年には多くの労働運動がベトナム戦争を支持する中で反戦平和運動を展開した。

（29）Occupational Safety and Health Act　労働安全衛生庁（Occupational Safety and Health Agency、同じくＯＳＨＡ）や国立労働安全衛生研究所（ＮＩＯＳＨ）の創設を含む法律。ニクソン政権時に成立した。ＯＳＨＡ成立以前は、アメリカにおける労働者の職場での安全を保障する仕組みはほぼ皆無に等しく、職場環境の劣悪さや衛生管理のずさんさから生じた事故や健康上の被害を雇用者側が補償するための法的根拠も脆弱だった。労働組合は本法案の作成から審議・採択に至るまで中心的な役割を担った。労働運動の勝利を表す記念碑的な法律であり、本法施行日である４月28日はアメリカの「労働者記念日」に指定されている。

（30）the last liberal American president　「最後の保守派大統領」の註を参照されたい。

（31）Richard Nixon　第37代アメリカ大統領。共和党所属。アイゼンハワー大統領のもとで副大

た。

1980年に至ると、民主党は労働者を見捨てて公然と敵の階級の餌食にしていたが、その頃マゾッキは労働組合を基盤とする労働党という構想を推進し始めていた。このイニシアチブは1990年代に大きく発展したが、実業界と政界からの攻撃を受けて労働運動が衰退すると道連れにされた。1920年代を彷彿とさせる一幕だ。[x]

こうした運動を蘇らせることは可能だ。実際に過去にもそれは行われてきたのだからね。成長産業であるサービス部門をめぐる近年の抗争は、あるいはこれから起こることの先触れかもしれない。共和党州における教員のストライキもすばらしい。これは悲惨なほど低い給料の是正だけでなく、公共教育制度へのあまりにも低い公的予算の改善という、より重要な目的をもっていた。公共教育もまた、社会に対する新自由主義の襲撃に遭った分野の一つだ。マゾッキが開拓を試みた道、すなわち労働者による抗争が環境運動の原動力となるような道は、空疎な夢ではなく、今もなお積極的に実現を目指すべき展望だ。

温室効果ガスの影響は19世紀半ばから知られていました。一部の科学者たちは、地球温暖化のもつ潜在的リスクについて数十年前から警鐘を鳴らし続けてきました。そのかたわら、気候変動の現実性や地球温暖化という現象の人為性を否定する人たちも未だに存在します。地球温暖化の原因は人間活動であるという点を指摘するだけで、はたして十分なのでしょうか。むしろ今回のこの危機は、ここ500年間の人々の経済生活を形作ってきた特定の経済制度が引き起こしたものとして理解すべきではないでしょうか。仮にそうだとすると、資本主義と気候危機にはどのような関連性があるのでしょうか。

チョムスキー　カール・マルクスほど資本主義の功績を熱烈に賞賛した者は他にいない。もちろん、マルクスは資本主義がもたらす人間的・物質的影響の惨さもしっかりと強調した。特に「物質代謝の亀裂」は後にジョン・ベラミー・フォスター[32]が豊かに練り上げた概念であり、資本主義

統領を務めた後、1度の落選を経て1969年に大統領選挙で当選し就任。外交ではソ連とABM条約を締結し、ベトナム戦争からも撤退し、また内政においてもOSHAの成立、所得保障型の現金給付政策である「家族支援計画」の推進、環境保護庁の設立、そして1970年「地球の日」に象徴される環境運動への意識の高まりに貢献した。しかし1974年には「ウォーターゲート事件」による弾劾手続きの開始が濃厚になり、議会選挙を控えた共和党議員たちからの圧力を受けて辞任した。

(32) John Bellamy Foster　オレゴン大学社会学教授。1999年の古典的論文にて、マルクス

に内在する傾向、生命維持に必要な自然環境を破壊する傾向を指している。[xi]

資本主義のもつ影響力やそこから派生しうる選択肢について考えよう。まず、資本主義という曖昧な言葉が参照する社会制度の実像を思い起こしてほしい。主な国家資本主義社会のスペクトルにおいて（個人的にはソ連もここに含んで良いと思うが、この問題は割愛する）、アメリカは資本主義の正教派の極に位置している。25年前にジョセフ・スティグリッツが[33]「市場に任せればすべてうまくいくという『宗教』」と呼んで批判した考えを、アメリカほど熱烈に崇拝している国は他にない（もっともそれは言葉による崇拝であって、実践の場において貫徹されているかどうかは別の問題だ）。そこで今度は、アメリカが今に至るまで歴史をとおして従ってきた経済制度を考えてみてほしい。ここでも、土着の災禍[34]を国土から一掃し、メキシコの領土の半分を侵略戦争によって強奪し、結果として歴史上類を見ない優位性[35]をアメリカが獲得したということや、そこで国家が担った役割については割愛する。

アメリカの（そしてイギリスの）経済発展の基盤は、人類史上最も凶悪な奴隷制度だった。これはそれ以前に存在したものとは根本的に異なる制度だ。そこからは（スヴェン・ベッカート[36]の巧みな表現を借りると）「綿の帝国」が生まれ、産業、金融、そして商業の土台となった。神聖なる市場への深い介入だ。この話にはまだまだ続きがある。ハミルトン式の高関税制度は国内産業の発展を可能にした。解放されて間もない植民地域は「正しい経済理論に従って一次産品の生産に特化し、イギリスにおけるより優れた製品を比較優位に基づいて受け入れろ」というアダム・スミスの助言をきっぱりと拒否した。また、イギリスの優れた技術の積極的な利用も功を奏

の資本主義と自然環境の関係についての批判的考察から「物質代謝の亀裂」の概念を導出し展開した。参考文献：John Bellamy Foster, "Marx's Theory of Metabolic Rift: Classical Foundations for Environmental Sociology," *American Journal of Sociology,* 105: 2, 1999, 366-405.

(33)　Joseph Stiglitz　アメリカの経済学者。２００1年アルフレッド・ノーベル記念スウェーデン国立銀行経済学賞受賞。世界銀行チーフエコノミスト、アメリカ大統領経済諮問委員会委員長などを歴任した。多作であり、数百本の学術論文に加え一般読者向けの書籍も多数執筆している。近年では国家経済の健全性の指標としてＧＤＰを用いることへの批判や、これに代わる多角的な新指標の開発に関する研究に力を入れている。

(34)　native scourge　先住民族を「災禍」として表象し、人間性を奪い、大量虐殺を正当化するようなレトリックへの批判を含む。このようなレトリックはアメリカ独立戦争以後、現代に至るまでアメリカの歴史意識に常に刷り込まれ続けてきた。特に１７７９年のサリバン・クリントン遠征によるホデノショニ連邦の人々の虐殺と、その１００周年記念式における「知識人」たちによる回顧のレトリックは、チョムスキー自身も過去の著作にて度々参照し批判している。

(35)　natural advantages　国土面積や気候を含む「天然資源の優位性」とも解釈できるが、ここでは「natural」を「実力ではなく環境の条件による」という意味だと解釈し、より広義かつシンプルな「優位性」という訳語を選択した。

(36)　Sven Beckert　ハーバード大学歴史学教授。専門は19世紀のアメリカ史、世界史。２０１4年発表の主著『綿の帝国』は綿という商品の世界史を包括的に扱った初めての研究書であり、資

したが、現代においてアメリカ以外の国が同じことをすると直ちに「泥棒」という厳しい糾弾の声があがるものだ。経済史学者のポール・ベロック(37)の適切な表現に従うと、アメリカは20世紀半ばまで「保護貿易主義の創始国かつ本拠地」であり続け、他国と比べ圧倒的な経済発展を遂げた後でようやく「自由貿易」が自国に有利に働くようになった。これは1世紀前にイギリスがしたことの模倣だ。入念な調査に基づき、ベロックはこう結論付けている。「保護貿易主義の弊害を説く通説がこれほどまでに史実と矛盾する例は他に見当たらない」[xii]。

時計の針を大きく前に進めたい。世界を驚かせたアメリカの大量生産システムは、品質管理、取替え可能な部品、そしてテイラー主義(38)を含んでいたが、その大部分は政府の武器庫や軍事施設において開発された。さらに現代に話を進めると、「軍産複合体」という紛らわしい名前は、正確には今のハイテク経済を指す言葉だが、これは税を財源とする研究開発の賜物だと言える。こうした研究開発では往々にして数十年にもわたる試行錯誤が続けられ、コストとリスクの高い状態が続くものだが、その後でようやく民間事業がその成果を市場や利益のために応用できるようになる。「公的補助と私的利益」とでも呼べる制度だが、これは素材の調達だけでなく実に様々な形をとって存在する。そこにはコンピュータやインターネットだけでなく、日常的に使われるテクノロジーが本当にたくさん含まれている。

もちろん現実はこれほど単純ではなく、以上の言い方では表面的な事象ですら満足に考察できていないが、今回の議論の要点をあえて述べるとすれば、資本主義と呼ばれている制度は大がかりな産業政策や公的補助、国家主導のイニシアチブや市場への介入を悠に取り入れられる上に、歴史をとおして実際にこれを取り入れてもきたと言える。これが現代の環境危機にとってもつ意味は、もはや指摘するまでもないだろう。

最初の質問に戻ろう。資本主義の基礎となる構成要素は、イデオロギーとしても社会制度としても、それがしっかりと管理されない限り、組織立った社会生活の破壊を引き起こす。現に私たちはその劇的な実像を日々目の当たりにしている。

すでに深く研究された事例として、巨大エネルギー複合企業、エクソンモービルを見てみよう。

本主義史の研究に大きなインパクトを与えた。また自身の所属大学であるハーバードの奴隷制への加担の歴史を明るみに出すプロジェクト『Harvard and Slavery』を主導している。

（37）Paul Bairoch　１９３０年生、スイスの経済史研究家。近代以降の国際的な経済発展の歴史を研究した。都市と経済発展の関係に関する研究でも広く知られている。また主著『経済と世界史――神話と逆説』では、イギリスの産業革命の要因や自由貿易と経済発展の関係、また産業革命以前の南北の所得格差などに関する通説をデータや証拠に基づいて批判した。多作であり、30冊以上の書籍と１００本以上の学術論文を出版した。

（38）Taylorism　科学的管理法とも呼ばれる工場管理の方法のこと。フレデリック・テイラーによって提唱された。

1960年代以降、同社所属の科学者たちは地球温暖化による深刻な脅威の解明を牽引していた。1988年には、地球物理学者のジェイムズ・ハンセン(39)がこの脅威の甚大さについて初めて公的な警告を行った。これに対して、エクソンモービルは否定論運動の発足という形で応じた。単純な否定論では簡単に反論されてしまうので、これは往々にして懐疑論の展開という形をとった。この運動は今もなお続いている。最近、エクソンモービルとコーク兄弟は、NASAの「科学者の97%は地球温暖化の人為性について合意している」という報告に対して正式な異議申し立てを行った。97%という数字やその共通見解は入念な研究によってしっかりと裏付けられているが、これに対して懐疑の念を広げるのが否定論運動の真髄だ。現にこれはそれなりの成果を挙げており、気候科学者の90%以上がこの圧倒的な共通見解に合意しているという事実は、アメリカの人々のたった20%にしか知られていない。[xiii]

こうした運動は、純粋な欺瞞であるという自覚の下で続けられており、多くの深刻な害悪を生んでいる。

否定論運動よりも一層深刻な害悪は、実践の場において見て取れる。化石燃料生産の拡大において、エクソンモービルはトップを走っているからだ。他の巨大石油企業とは異なり、同社は再生可能エネルギーへの出資はたとえ少額であってもカネの無駄だとして拒否している。ビジネスメディアには次のような報道がある。「2014年3月に株主に向けて発表されたカーボンリスクに関する報告書で、エクソンモービル（ＸＯＭ）は、世界は今よりもさらに莫大なエネルギーを必要としており、二酸化炭素の排出量の大幅削減が実現する可能性は『非常に低い』ため、化石燃料への一点集中は気候変動の是非に関係なく妥当な戦略であると主張した[xiv]」。

好意的な立場から付言するならば、エクソンモービルは競争相手と比べ単に資本主義の論理により忠実に従っているだけだという主張にも一理ある。さきの記事には、シェブロンは環境を破壊した方が大きな利益が期待できるので、小規模で利益にもなる持続可能エネルギー事業の方は廃止を決定したとも報道されている。他の企業も似たり寄ったりだ。ロイヤル・ダッチ・シェルは、海が破壊されるということを重々承知していながら、生物分解不可能なプラスチックの製造

（39）　James Hansen　コロンビア大学教授、元ＮＡＳＡゴダード宇宙科学研究所所長。専門は気候科学、大気物理学。特に１９８０年代に気候変動に対するアメリカの政治家や有権者の意識の向上に貢献し、１９８８年には米国上院エネルギー・天然資源委員会にて気候変動に関する最新研究を発表する証言を行った。一般読者向けの主著『地球温暖化との闘い―すべては未来の子どもたちのために』（枝廣淳子&中小路佳代子訳、日経ＢＰ、２０１２年）では、ジョージ・Ｗ・ブッシュ政権に地球温暖化の脅威を認識させるためのＮＡＳＡの努力を軸に、科学と政治の関係について痛切な議論が展開されている。現在は孫の世代に居住可能な地球環境を残すための政策の実行を米国政府に求める「Juliana v. United States」訴訟を起こしている（ジュリアナはハンセンの孫の名前）。

のための巨大な工場の建設をなお盛大に祝っている。[xv]

支配階級においては似たようなシニシズムが随所に見られる。JPモルガン・チェースのCEOは、教養ある人々のご多分に洩れず地球温暖化の深刻な脅威をよく理解しており、プライベートではシエラクラブに寄付を行ってもいるかもしれない。それでも、このCEOは化石燃料の開発に莫大な資源を投入している。中でも最も危険なのはカナダのタールサンドだが、これはエネルギー産業界のお気に入りの一つだ。

こうした行動をとる者たちは枚挙に暇が無い。その全員が資本主義の論理を金言のごとく厳格に守っている。その先に待っている結末は誰もがよく自覚しているが、それでも個々人にはある意味まったく選択の余地が残されていない。もし仮にCEOが他の選択をしたならば、その人は速やかに別の人物に置き換えられ、新任の人物が今までどおりの行動をとるだけだからだ。これは単に個人の問題であるだけではなく、制度の問題でもある。

暗澹たる記録だが、さらにここへ一流の学術誌が発表する論文の一覧を加えても良いだろう。[40]こうした論文は陶酔感に満ち満ちている。フラッキングのおかげでアメリカは再び人類を破滅へと導く化石燃料の生産国としてトップに躍り出たぞ、「エネルギー自給」を——そもそもそれが何なのかは定かではないが——達成したぞ、エネルギー市場への影響を考慮せずに（定義上平穏な）国際戦略を展開する（例えばイランやベネズエラの人々に最大限の苦しみを与える）ための力をアメリカは手にしたぞ、という論調だ。環境への影響について一言二言加えられる場面も時たまある――ワイオミング州におけるフラッキングは地元の牧場経営者の給水に害を与えるかもしれない、といった風にね。それでも、残念ながら生命の世界全体の未来への影響に関しては一切言及されていない。

ここでもあえて好意的な解釈をするならば、人類の生存などという脇道へ話を逸らしてしまっては、「客観性」という規則に反して「バイアス」が入り込んでしまう。学術誌の編集者たちは、フラッキングについて、またそれがどのようにしてアメリカを支配的な化石燃料生産国へと押し上げるかについて書くよう求めているのだからね。人類の生存は「オピニオン」欄でこぢんまりと扱えば良いわけだ。こうして「心配するな」という雰囲気が醸成される。仮に何か問題が存在したとしても、人間の叡智がそれを乗り越えてくれるはずだから、とね。

(40)　fracking「水圧破砕法」の通称。超高圧の水を使って頁岩層（シェール）から石油や天然ガスを採取する方法のこと。ＩＰＣＣ第五次評価報告書においては、フラッキングは特にアメリカで石炭からガスへのエネルギー移行を促進し、CO_2排出量削減に貢献した可能性もあるが、他方ではメタンガスの漏出や水資源の汚染などのリスクもあり、その有用性についてはさらなる研究調査が必要だとされている。参考文献：Thomas Bruckner, et al. "Energy Systems." *Climate Change 2014: Mitigation of Climate Change. Contribution of Working Group III to the Fifth Assessment Report of the Intergovernmental Panel on Climate Change.*

大手企業の経営陣だけでなく、筋金入りの否定論者たちでさえも、自分たちが近々引き起こそうとしている惨事についてしっかりと自覚している。この点は特筆に価する。10年前のコーク兄弟への降伏はその一症例だ。トランプ大統領も、自分のゴルフコースを海面上昇から守るために壁を建設する許可をアイルランドの政府に求めるくらいよく事態を把握している。[xvi] 要所にはしっかりと手入れをしなければというわけだ。

さらにここで、人類史上最も驚くべき文書の第一候補とも言える、トランプ政権が2018年8月に発表した文書を挙げておこう――国家幹線道路交通安全局による500ページにものぼる環境影響表明書だ。そこでは、自動車の排気ガスに対する新規の制限は一切必要ないという結論が述べられている。共著者たちの議論は筋が通っていた。評価書の結論は以下のとおりだ。今世紀の終わりまでに気温は摂氏4度ほど上昇するだろう。それは科学界が「壊滅的」とする値の2倍に相当する。自動車による排気ガスは、こうした大惨事の要因の一つでしかない。近い将来、人類はどの道谷底へ落ちていくのだから、世界が炎に包まれていても今のうちにドライブを楽しみ、ネロ(41)をも仰天させてやろうというわけだ。[xvii]

これに比肩するほどの悪意をもった文書がもし歴史の記録文献から見つかるのであれば、ぜひ教えていただきたいものだ。1942年1月のナチ党指導部のヴァンゼー会議ですら、ヨーロッパのユダヤ人の絶滅を呼びかけたものであり、地球上の人類やその他の動植物の生命のほぼ完全な殲滅にまでは及んでいない。

例のごとく、この研究報告が一般向けに発表されたときにも、ほぼまったく何の議論も起こらなかった。

トランプ政権の議論は、全人類が共和党指導部の犯罪的な狂気を共有しており、よって惨事を回避する努力も一切何も行われないはずだという考えを前提にしている。こうした態度を正確に描写できるような言葉は、もはや私たちの言語には存在しない。仮にこの態度を脇に置いたとしても、また別の重大な問題がある。この人たちは自分たちがしていることの意味を十分に自覚しつつもなお、あらゆる手段を尽くして有害な化石燃料の使用量を増やし、最大の支援者である富裕層と民間権力者のぎゅうぎゅう詰めの懐をさらに肥やしているという問題だ。

一言で言うと、資本主義の論理は、野放しにした場合、破滅をもたらす。とはいえ、現実に残された時間的猶予を考慮に入れると明白だが、こうした実存的問題は国家資本主義制度の枠内でなんとか解決していくしかない。こうした制度においても、市場への大胆な介入や政府による大掛かりなイニシアチブという手段は存在する。このような選択肢の開発と実現こそ、社会運動がなすべき重要な任務だ。これと並行して、資本主義の論理を根本から分解し、良識ある社会の実

(41)　Nero　1世紀のローマ皇帝。キリスト教信者を迫害し、家族や同胞を次々と殺害した。西洋史上最も破壊的な暴君の一人として知られている。

現に向けての土壌も整えるべきだ。

機会はたくさんある。すでに挙げた例だが、トニー・マゾッキの活動を考えてみてほしい。これは既存の現実の枠内で功を奏した活動であり、現在においてもなお十分に実現可能だ。他にも例はあるが、ここで思考実験をしてみよう。２００８年に大不況が到来したとき、資本主義の論理に縛られていないような人物、例えばバーニー・サンダースのような人物が大統領だったと仮定してみよう。さらに、この大統領は議会からも支持を得ており、民衆による社会運動からも後押しを受けていたとしよう。こうした状況の下では、いくつかの選択肢が開けてくる。例えば、金融崩壊を引き起こした張本人である金融諸機関を国民の血税で救済しつつ、同時に住居を失った被害者たちへも支援を行う連邦議会法案を遵守するという選択肢だ。しかし、この候補手は速やかに払いのけられてしまった。実施に値するのは法案の前半部分だけだという見解が優勢だったからだ。この決断はニール・バロフスキー(42)を憤慨させた。バロフスキーは財務省の特別監査官として不良資産救済プログラム（ＴＡＲＰ）(43)の監督を任された人物だが、後にこの犯罪行為を痛烈に暴く本を書いている。[xviii] 別の選択肢も十分にありえたわけだ。

現実世界に踏みとどまりつつも、さらに想像力の翼を広げてみよう。危機が到来したとき、オバマはアメリカの自動車産業を事実上国有化した。アメリカの産業体制の中核を成すこの業界が、ほぼ完全に政府の管轄下に置かれたわけだ。ここからもまた新たな選択肢が生じていたが、実際には別の決定が条件反射的に行われてしまった――危機以前の所有者や経営者に自動車産業を返還し、名称の変更などでお茶を濁しつつ、以前と同じように自動車を営利目的で生産し続けるという決定だ。これとは異なる選択も十分に考えられた。ステークホルダーや労働者、そして地元地域へと自動車産業を譲渡し、アメリカの産業体制の中核を事実上社会化（社会保有化）するという選択だ。利益ではなく人間の命や生活を優先していれば、生産体制を抜本的に軌道修正できたかもしれない。効率的な大規模交通インフラの方が、毎日数時間も渋滞に巻き込まれるような仕組みよりも優れた生活につながり、ひいては迫り来る環境破壊の脅威を大きく緩和できるということに気がつけていたかもしれない。

(42)　Neil Barofsky　ジェナー・アンド・ブロック法律事務所顧問、元ニューヨーク大学法学部フェロー。２００８年から２０１１年までＴＡＲＰの特別監査官を務めた。
(43)　Troubled Asset Relief Program　２００８年のサブプライムローン危機から銀行を救済するために、経済緊急安定化法によって設立された総額７０００億ドル（77兆円）の財政出動プログラム。不良債権の買い取りを主な目的とする。買い取り条件として該当銀行の経営陣の報酬に関連する規制が敷かれたが、刑事罰は一切定められておらず、さらに２００８年12月にはブッシュ大統領が大統領行政命令によって当時のポールソン財務長官の裁量で買い取り承認ができるように制度を修正した。これにより、リーマン・ブラザーズを除くほぼすべてのウォール街金融機関が政府による救済を受けた。

アメリカの産業体制の中枢を真に社会化すること、すなわち労働者や地域社会の管理下に置くことは、多面的で複雑な作業となるだろう。これはまた、労働運動の再生や新たな社会運動の感化に留まらず、大規模な効果を生むだろう。では、これは想像をはるかに超えたユートピアの夢にすぎないのだろうか。どうもそうではなさそうだ。たとえ小規模であっても、こうした機会は至るところで発生している。最近では、労働者による所有や協同組合に関する活動が盛り上がってきている。例えば、ガー・アルペロビッツ(44)が立ち上げた「ネクスト・システム・プロジェクト(45)」はこうした活動をたくさん立ち上げて連携しており、ミハイル・バクーニン(46)が提唱したように、未来の自由で民主的な社会のための種を既存の社会に蒔いてその土壌を形成している。[xix] これよりもはるかに大規模な目標の達成も、現実的に検討することができるはずだ。

また、民衆による社会活動や圧力がもつ潜在的な力も見逃せない。2020年初頭における例をいくつか挙げてみたい。環境活動団体「エクスティンクション・リベリオン(47)」にリークされた顧客向け報告書において、JPモルガン・チェースは気候変動や温暖化に対して深い懸念を示していた。『ガーディアン』紙によると、報告書では「顧客に向けて警鐘が鳴らされ、気候危機が人類の存続を脅かし、地球は現在不可逆的な結果を招くような持続不可能な軌道に乗っている」とされた。もちろんこれは軌道修正がされなかった場合の話だ。また、報告書ではさらに化石燃料への投資がもつ「評判リスク」に基づいて投資戦略を変更する必要性が指摘されてもいる。[xx]

「評判リスク」という言葉は、民衆からの圧力を意味する。「世界最大の化石燃料出資者」の投資戦略を変更させた功績は決して小さくない。

---

(44)　Gar Alperovitz　アメリカの歴史学者、政治経済学者。米国連邦議会下院立法担当官、ハーバード大学政治研究所創立フェローなどを歴任した。主著『原爆外交――ヒロシマとポツダム』では広島・長崎への原爆投下はアメリカによる戦後の対ソ連外交への布石でもあったと主張し、以後アメリカによる原爆投下に関する研究を精力的に続けた。

(45)　Next System Project　環境法律家・活動家のジェームズ・グスタフ・スペスと歴史学者のガー・アルペロビッツが共同創立した団体「Democracy Collaborative」によるプロジェクト。アメリカが直面する国家規模の課題に対する斬新な新対策を考えることを目標にしている。第一回政策提言書では、公共銀行研究所のエレン・ブラウンがインフラ整備のための資金集めの方法として公共銀行のネットワークを生かした大規模な財政出動を構想した。

(46)　Mikhail Bakunin　1814年生、ロシアの思想家、活動家。アナーキズム思想の先駆者として知られている。主著『国家制度とアナーキー』(左近毅訳、白水社、1999年)では、マルクス主義に基づく政治体制はプロレタリアートによる独裁ではなくプロレタリアートに対する独裁に終わるだろうと暗に予言した。同時に、マルクスの『資本論』における政治経済批判を高く評価し、ロシア語への翻訳を行った。

(47)　Extinction Rebellion　市民的不服従と「直接行動」を基調とする国際的な環境運動。2018年にイギリスで立ち上がった。分散型の組織構造を持っており、参加メンバーは独自の判断で自由に活動を展開してよいとされている。創造的かつ主体的な活動が生まれることも多々ある一方で、ロンドンの地下鉄を封鎖するなど公共性に反する破壊的な行為に走るメンバーも存在し、賛否もう一つ例を挙げておきたい。世界一の大富豪、ジェフ・ベゾス[48]が2020年2月に行った発表によると、新設のベゾス・アース・ファンドは「人類が共有するこの地球に対する気候変動の悲惨な影響」と闘うための資金として、科学者や活動家に100億ドル（1・1兆円）を提供するらしい。『ワシントン・ポスト』紙によると、これは「小売業界や高度技術業界の最大手であるアマゾンは自社のカーボンフットプリントの縮小にもっと力を入れるべきだとする従業員たち――『気候正義のためのアマゾン従業員』のメンバーたち――が抗議の一環としてストを決行する前日」に発表された。同じ日に、PBS番組『Frontline』では「アマゾン帝国」と題して同社の内実を検討する特集が放送されていた。つまり、これもまた民衆による社会活動が功を奏した例だ[xxi]。

人々の意識や行動に具体的な影響を与える機会は、至るところに存在する。

現在の気候危機の元凶は資本主義ではなく産業化そのものだとする議論についてはどうお考えですか。いわゆる社会主義圏と呼ばれた国々（旧ソ連及び東ヨーロッパ諸国）が短期間で引き起こした環境破壊は、多くの文献が示すとおりです。

チョムスキー　「いわゆる」という一語を強調しておきたい。ここではあまり深入りできない主題だが、大きなプロパガンダ装置から出てくる主張には注意する必要がある――アメリカのプロパガンダ装置と、それに比べまったく取るに足らないような力しか持たない東側のプロパガンダ装置だ。両者の間には意見の相違が数多く存在するが、合意点もまた存在する。例えば、東ヨーロッパにおける社会主義の極端な倒錯が「社会主義的」であるという主張だ。アメリカは社会主義に汚名を着せるため、ソ連は社会主義という思想がもつ道徳的なオーラにあやかるためにこの主張に合意した。私たちまでこうした考えに同調する必要はない。

資本主義の論理は制約をかけない限り環境破壊を直に引き起こしてしまうが、この事実からはこれが環境破壊の唯一の原因であるという結論は導けない。西洋と比べて衰退の道を歩み続けていた最貧困の農業国ロシアは、幾多の戦争による悲痛なトラウマを抱えつつも一大産業国家へと生まれ変わった。その過酷で残忍なプロセスについて、語るべきことは多い。それでも、それが環境に与えた壊滅的な打撃は事実として認めるしかない。

両論がある。

（48）　Jeff Bezos　Amazon 社創業者兼ＣＥＯ。２０２１年６月現在の純資産は２０００億ドル（22兆円）以上と推計されており、世界で最も裕福な人物。２０２１年７月に Amazon 社ＣＥＯを退任した。

西洋式の産業化は、(「綿の帝国」を打ちたて、近代経済の基礎を作った)奴隷制や(イギリス等の地域で豊富に採れた)石炭に、そして20世紀には石油にそれぞれ依存していた。これには何か必然性があるのだろうか。産業社会を発展させていく上で、これとは画期的に異なる社会制度や経済制度に基づき、個々の決断や実践に際して人類や地球環境への影響のケアを主軸とするような、今とはまったく異なる道もありえたのではないか。こうした問題はまだそれほど深くは研究されておらず、答えもはっきりしない。こうした研究が進むまでは、「産業化そのもの」を問題視するというほど極端な立場をとるのは適当ではないように思える。実際とは大きく異なる道を選ぶことも、もしかしたら可能だったかもしれないからだ。

ポーリンさんは資本主義と気候変動の関係についてどうお考えですか。

ポーリン　たしかに、資本主義の台頭はエネルギー生産と機械の駆動を目的とした化石燃料の燃焼と切っても切れない関係にある。よって、CO_2の排出による大気圏の汚染も、産業資本主義の発生と密接につながっている。

具体的には、18世紀後半から19世紀初頭にかけて産業革命が起こると、製造業界の資本家たちは機械を動かすためのエネルギー源を必要とするようになったわけだが、それだけではない。実際に何が起こったのかと言えば、１８３０年代のイギリスでは、綿を始めとする各種製品の生産に使う蒸気機関のエネルギー源として、石炭が大量に使用されるようになった。その頃、石炭は水力に代わって製造業における最大のエネルギー源となってきていた。１８５０年前後になると、世界のＣＯ２排出量の60％はイギリスにおける石炭の燃焼から発生していた。

アンドレアス・マルム[49]が『化石資本』において詳しく論証しているように、19世紀初頭のイギリスの製造者たちが水車から石炭蒸気機関へと転換した理由は、石炭や蒸気が水力よりも安かったからではなく、ましてやクリーンだったからではない。むしろ、当時は水力の方が安く、水力による機械駆動の技術の方が進んでいた。

石炭や蒸気が圧倒的な有利を得たのは、場所を選ばないエネルギー源だったからだ。水力の場合、強力な水流が近くになければエネルギーを生むこともできない。石炭ならば、石炭を運搬し燃焼する条件さえ整っていれば、どこでも製造事業を展開することができる。おかげで、事業側は人々を工場に動員しやすくなった。周知のとおり、当時の工場での労働条件は惨憺たるもの

(49)　Andreas Malm　ルンド大学人類生態学准教授、著作家。主著『化石資本』で２０１６年ドイッチャー記念賞を受賞。２０２１年６月現在は続編『化石帝国』（仮）の執筆に取り組んでいる。

だった。マルムはこう書いている。

製造者が渓谷の中や川半島の周りを流れる強力な水流を発見できたとしても、その付近に工場で働いてくれるような地元住民がいる可能性はとても低い。定時で長時間機械を操作し、一つの建物の中に集められて厳格に監督されるという労働環境を、特に農村部においては住民のほぼ全員が不快に感じていた。[xxii]

これと対照を成す例をマルムはこう解説している。

蒸気は都市への参入を可能にしてくれた。そこにはあふれかえるほどの労働力が待っていた。蒸気機関は、新たなエネルギー源として不足を補ったわけではなく、搾取可能な労働を利用できるようにしてくれたわけだ。……この利点は、水力が相変わらず誇っていた量の多さ、値段の安さ、そして技術的な優位を補って余りあるものだった。[xxiii]

こうして資本家たちは、搾取可能な労働力を工場へおびき寄せることさえできれば、あとは場所を選ばずに製造業を展開する自由を得た。この自由は、資本主義をイギリスの国境を越えてヨーロッパ全土、北アメリカ、そしてヨーロッパ列強国の植民地へと拡大する推進力にもなった。マルクスは『共産党宣言』第1章において、資本主義のこの爆発的成長を鮮烈に描写している。「商品市場を拡大し続ける必要に駆られて、ブルジョアジーは地球を席巻する。ありとあらゆる場所に住み着き、根を下ろし、つながりを作る必要に駆られる」[xxiv]。水力の利用によって特定の地域へと縛られてしまっているうちは、マルクスの同時代の製造業の資本家たちもありとあらゆる場所へ住み着き、根を下ろし、つながりを作ることはできなかったはずだ。

現代の資本主義は良くも悪くもエネルギー源を石炭、石油、そして天然ガスのみに依存しなくても十分に機能できる。この点は明らかだろう。中国やアメリカ、ブラジルやロシアを含む各国で、労働者たちは水力発電によって動く機械を操作しながら搾取されている。

とはいえ、クリーンエネルギー供給（主に太陽光と風力発電）の拡大が小規模事業のための新たな機会を生んでいることもまた事実だ。こうした小規模事業は、公共、民間、そして協同組合のような所有形態の組み合わせを駆使して組織されうる。そこには資本主義的な所有形態のみならず、そうでない形態や混合所有形態も含まれる。企業形態をとらない事業は、従来の企業に比べ総じてより優れた業績を上げている。その明快な例として、西ヨーロッパ、特にドイツ、デンマーク、スウェーデン、そしてイギリスにおける地域社会主導の風力発電基地（ウィンドファーム）が挙げられる。この風力発電基地モデルの亜種はアメリカ中西部の大農業地帯（ファームベルト）においても台頭してきている。規模に限らず、個人農家たちが農作物の栽培や牛の放牧を行うかたわらで農場に風力タービンを設置しているわけだ。農場の使い道を増やすことで、農家は追加の、そして往々にして重要な収入源を獲得できる。

要約すると、マルムが鮮明に描写してみせたように、世界資本主義は化石燃料に基づくエネルギーシステムを土台として台頭した。クリーンエネルギーへの移行は必須だが、これによってより民主的かつ平等主義的な社会の発展の礎が生まれる可能性もある。とはいえ、こうした展望が達成される保証はまったくどこにもない。クリーンエネルギーにせよその他の技術にせよ、テクノロジーの力だけで有意義な社会変革を達成させることはできない。平等主義的な社会変革は、人々が政治運動の構築を目指して闘うことによってのみ達成される。このような政治運動が生まれさえすれば、クリーンエネルギーのような科学技術も重要な補佐的役割を担えるようになる。

資本主義とはつまるところ利益至上主義であり、化石燃料はその強欲を満たすエネルギー源です。化石燃料から離れて新たなエネルギー源へとシフトしてしまっては、資本家の利益が脅かされると思うのですが、いかがでしょうか。

ポーリン　たしかに、民間の化石燃料資本家の利益は脅かされる。この先30年間で、化石燃料企業は事業破産もしくは大幅な事業縮小をせざるを得なくなるだろう。現時点で最も精度の高い推計によると、地中に埋蔵されている「未燃の」石油、石炭、そして天然ガスのうち、諸企業が現在所有している量は約3兆ドル（330兆円）に相当する。地球の気候を確実に安定させるためには、この埋蔵資源を燃やして資本家の利益に変えてはならない。

言うまでもなく、化石燃料企業側は手段を尽くして抗戦するだろう。地中の石油、石炭、そして天然ガスを売って莫大な利益を得る権利を守るためだ。他方で、仮に化石燃料諸企業が3兆ドル相当の「燃やせない資産」を売却できなかったとしても、世界経済の残りの部分にこれといった問題が生じるわけではない。この点は理解しておくべきだ。数字を使って説明させてほしい。なるほど、3兆ドルは大きな金額だ。しかし、例えば2019年にはこれは世界金融資産総額（エクイティと債務資産残高の価値総額）317兆ドル（3・487京円）のたった1％にも満たなかった。[xxv] さらに言うと、民間化石燃料資産3兆ドルの減価は一気に起こるわけではなく、30年という期間で徐々に進んでいくことになる。平均するとこれは年間1000億ドル（11兆円）の資産喪失、すなわち現在の世界金融市場価値総額のたった0・03％にしか相当しない。それに比べ、例えば最近のアメリカ住宅バブルと2007年から2009年にかけての金融崩壊においては、2008年だけでも資産価値が16兆ドル（1760兆円）も失われた。これは化石燃料企業が将来的に被る年間損失の約１６０倍に相当する。

　化石燃料資産価値は20年から30年の期間で緩やかに減価していくため、化石燃料企業の株主たちにも保有株式を売却して他の株式に再投資をする余裕が十分にある。顕著な例として、世界で一番有名な投資家であり世界で三番目の富豪でもあるウォーレン・バフェット[50]は、２０１４年に持株会社バークシャー・ハサウェイの太陽光および風力エネルギー企業への持株をそれまでの２倍の１５０億ドル（１・６５兆円）に増額すると発表した。バークシャーは従来の電力企業に対して巨額のポジションを維持しつつもなおこうした動きに出たわけだ。[xxvi]

　化石燃料諸企業もバフェットに倣ってクリーンエネルギーへと多角展開できるはずだ。企業側の広報キャンペーンを真に受けて良いなら、これはすでに実践されているとも言いたくなるだろう。しかし実際のところ、クリーンエネルギーへの進出はいまだに諸企業の事業のほんの一部しか占めていない。ここ数十年間でこうした企業は、化石燃料の生産と販売から絶大な利益を得る仕組みを作り上げてきた。これに比肩するレベルの利潤がクリーンエネルギーから達成される可能性は低い。化石燃料技術に比べ、太陽光技術や風力技術はエネルギー産出の規模が極めて小さいからだ。周知のとおり、今では世界中の一般家庭が自宅の屋根にソーラーパネルを設置するだけで電力需要を１００％満たしつつ費用を節約できるようになっている。化石燃料が競争に負けるのは時間の問題だ。

ここからはさらに一般的な論点が浮かび上がってくる。クリーンエネルギー変革は、たしかに化石燃料諸企業の利益を脅かすものだ。また関連産業についても、すなわち石油掘削会社、パイプライン建設会社、石炭を運ぶ鉄道会社、そして化石燃料の燃焼による発電を基盤とする電力会社についても、同じことが言える。しかしそれ以外の資本主義的事業は、石油、石炭、そして天然ガスから太陽光や風力へとエネルギー源を転換したところで利潤が脅かされる心配は無い。陸上風力発電所やソーラー光起電性パネル[51]による発電は、石油や石炭、そして天然ガスから得られるエネルギーとほぼ同額のコストを実現しているからだ。テクノロジーの普及がさらに進めば、クリーンエネルギーの費用も相応に下がり続けるだろう。特にここ40年間における新自由主義制

（50）　Warren Buffet　アメリカの実業家、投資家、バークシャー・ハサウェイ会長兼ＣＥＯ。２０２１年６月現在の純資産は約１０００億ドル（１１兆円）。２００８年には当時トップのビル・ゲイツを抜いて世界最大の富豪となった（当時のバフェットの純資産は約６００億ドル（６・６兆円））。２００２年にはデリバティブを「大量破壊金融兵器」「時限爆弾」と呼び、金融危機を予見したとも言われている。

（51）　solar photovoltaic panels　太陽光の反射から得られる起電力を、半導体を使って直流電力に変換する装置の総称。最大電力変換効率は太陽光エネルギーに対する発電装置の出力として表される。変換効率は技術によって大きく異なり、２０２１年６月現在では約８％～40％という範囲をとる。参考文献：Martin A. Green, et al., "Solar cell efficiency tables (Version 58)," *Progress in Photovoltaics*, June 2021, doi: 10.1002/pip.3444.

度下での大幅な格差拡大を思ってみれば、資本家の利益の大幅引き下げを正当化するだけの理由はいくらでも存在する。単にクリーンエネルギー変革を実行するだけでは、こうした展望の実現には至らない。

資本主義社会の枠内でクリーンエネルギー源への移行が十分に可能だったとしても、新自由主義の時代における投資家はほぼ全員短期的思考によってものごとを決定しているのが現実です。こうした状況下では、気候危機の解決を資本家たちの自主性に委ねるのは少しナイーヴではありませんか。

ポーリン　そもそも、資本家たちが自主的に気候危機を解決してくれるだろうなどと本気で信じている人はいない。先述した2019年1月の炭素税への支持表明にサインした正統派経済学者の面々ですら、資本家たちに環境破壊のコストを勘定に入れさせるためには政府介入が必須だという点を明確に認めている。だからこそこの人たちは炭素税を支持したわけだ。

地球気候安定化という目標を達成するにあたって、資本主義市場の平常運転への公的介入はど、れくらい必要なのか――これこそ本当の問題だ。すでに論じたように、この目標を達成するためには炭素税よりもはるかに大胆な政府介入が必要だと思う。炭素税を独立した政策として捉えた場合はなおさらだ。主要経済部門への公共投資に加え、民間グリーン投資への公的補助や、厳しい規制も必要となるだろう。こうした政策を組み合わせれば、炭素税式の介入一本槍よりもはるかに速く化石燃料から脱却できるようになる。ここで第二次世界大戦への参戦に際しての動員計画を改めて振り返ってみよう。そのとき、アメリカ連邦政府による介入は税制の調整に留まらなかった。現在の状況と同じように、当時の状況もまたより強力な対策を要請していたからだ。ジョシュア・メイソン[52]とアンドリュー・ボッシー[53]が最近の論文で示しているように、ルーズベルト政権は第二次世界大戦中において、主要産業への公共投資とその公有化という形で実に大きな役割を担った。合成ゴム産業界の97%、航空産業の89%、そして造船業の87%だけでなく、鉄鋼業という有力産業でさえ14%が公的介入の対象となった。[xxvii] ルーズベルト政権はこうした諸産業を

（52）　Josh Mason　ニューヨーク市立大学経済学准教授、ルーズベルト研究所フェロー。専門はマクロ経済学。現在はアメリカ経済における各部門の負債の変遷や、バランスシートにおけるポジションと実体経済との関係について研究している。

（53）　Andrew Bossie　ニュージャージー市立大学助教授。専門は財政政策と金融政策。第二次世界大戦中の財政金融政策ショックの影響を研究している。

公共部門の管理下に置いたわけだ。当時の危機的状況が要請した速度や規模で生産レベルを引き上げていくには大きなリスクが伴ったが、民間資本家にはそれを単独で引き受ける力がなかったからだ。

現在の私たちの状況もこれに似ている。だからこそ、先述したように、現代にふさわしいグリーンニューディール政策には公共投資や公有化、そして厳格な規制を十二分に含める必要がある。例えば、電力会社が引き続き民営化される場合には、2050年までに排出量ゼロ目標を達成できるように、規定のCO_2排出量を毎年削減し続ける約束をさせるべきだ。かかる電力会社のCEOは、この規定に従わなかった場合には禁固刑を科せられるべきだ。こうしたアイデアについては、第3章でグリーンニューディールを論じる際により詳しく展開したい。

チョムスキーさんはこの問題に関してはどうお考えですか。地球温暖化の脅威を十分に緩和できなかった場合、私たちの未来には大惨事が待ち受けているわけですが、利益追求を原動力とする既存の経済体制の枠組みの中で人類や地球全体をこの脅威から守ることは現実的に可能なのでしょうか。

チョムスキー　利益追求が原動力である限り、人類には希望が無い。化石燃料の生産だけでなく、これよりも低度の環境破壊行為も含め、莫大な利益が期待できる諸活動が利益追求の原理によって奇跡的に制止されうるなど、ほぼ完全にあり得ないことであり、考慮に入れる意味すらない。実態を深く観察すればわかるように、市場シグナルはまったく不適切か、あるいはまったく誤まった方向へ人々を導いている。今日的な例を一つ挙げておくと、大気圏から炭素を除去するための技術はいつになく重要性を増しているが、シリコンバレーのベンチャー資本家の目には、大きな利益がおよそ期待できないような長期的事業への投資よりも iPhone への飾りや新機能への投資の方がはるかに魅力的に映っている。

市場の崇拝は最近ではもはやグラムシ的ヘゲモニーのような常識[54]となっており、特に新自由主義時代に大規模なプロパガンダによって人々の頭の中に刷り込まれた。スティグリッツが「宗教」と呼ぶこの現象の土台を成す人間観は、控えめに言ってあまり説得力が無い。人間は利益に

(54)　Gramscian hegemonic common sense　イタリアの思想家アントニオ・グラムシが提唱した「ヘゲモニー」の概念への参照を含む。グラムシによると、資本主義では資本家階級が強制による支配に加えイデオロギーによる支配も行い、ブルジョワジーの価値観を「常識」として社会全体に浸透させており、特にそれは大衆文化（ポップカルチャー）や宗教などに色濃く反映されている。既存の経済体制に対する一般大衆の承諾を強化し常態化させるこのイデオロギー装置をグラムシは「ヘゲモニー」と呼んだ。

駆り立てられるまでは何もせずにじっとしている生き物だという考えを本気で信じている人などいるだろうか。それとも、長い伝統と多くの経験が示すように、意義深く創作性豊かな自主行動こそ人間にとって至上の喜びではないのか。

工業生産という分野においてさえ、これまで利益追求が原動力だったと言うのは間違っており、誤解のもとだ。例えば、私たちが毎日使っているコンピュータやインターネットは、主に政府大学制度が数十年間かけて開発した後、その試行錯誤の結晶が今度は市場取引と利益を目的とする民間事業へ手渡された。核となる仕事を行った人々は利益によって駆動されていたのではなく、難解かつ重要な問題に取り組む際に生じる好奇心や冒険心に突き動かされていた。これは私たちの社会や文化を長年支えてきた研究や探究活動一般について言える。もちろん、こうして生まれた新発見は利益追求型の経済体制へと組み込まれてもきたが、これは自然の摂理などではない。これとは異なる社会体制も十分に考えられるからだ。一例として、事業を労働者が所有し管理すれば、ニューヨークの銀行家の利益を優先するような体制とは異なる要素が重要視されるようになるだろう。健全な労働環境や個人の自主性や余暇といった要素だ。このような事業が真に民主的な地域社会において結束すれば、新しい可能性がひらけてくる。個々人が商品を買い漁る一方で資本投資家が私腹を肥やすような日常の代わりに、意義深く充足感のある人生を実現するための相互扶助と心配りを基調とする価値が共有されるかもしれない。

こうした展望の実現ははたして現実的なのだろうか。答えははっきりしない。というのも、何が「現実的」なのかは実践の場における私たちの選択によっても左右されるからだ。

資本主義と気候危機の関連性に注目して話を進めてきましたが、化石燃料産業には公有事業も数多く含まれているという点も見逃してはなりません。ここからは、資本主義社会における公共団体の役割という問題が浮上します。ポーリンさん、公共団体のあり方やこれが気候危機に与える影響についてどうお考えですか。

ポーリン　実際のところ、エネルギー産業は長年にわたり世界各地で実に様々な所有形態のもとで展開されてきた。民間企業に加え、そこには公有や地方自治体による所有、そして民間の様々な共同所有形態が含まれる。石油ガス業界に限って言えば、公有国営会社が世界の資源の90%と生産量の75%を握っており、石油ガスインフラ設備もかなりのところまで支配している。こうした国営企業にはサウジアラムコ、ロシアのガスプロム、中国石油天然気集団、イラン国営石油会社、ペトロレオス・デ・ベネズエラ、ブラジルのペトロブラス、そしてマレーシアのペトロナスが含まれる。こうした公有会社は、エクソンモービルやBP、そしてロイヤル・ダッチ・シェルのような大手民間エネルギー企業のような利益至上主義の経営方針には従っていない。とはいえ、世界の気候が緊急事態に直面しているというだけの理由で公有会社側に気候変動対策を貫徹する意思が生まれるわけでもない。民間企業と同じように、公有会社もまた化石燃料の生産と販売から巨額の収益フローを得ているわけだが、国家開発事業や潤沢なキャリア、そして政治権力を維持するためには、化石燃料からのこの巨額の収益フローも持続される必要があるからだ。そのため、エネルギー会社を公有化するだけでは、クリーンエネルギー式の産業政策を推進できるような体制を生むには不十分だろう。

第3章　グローバル・グリーンニューディール

進歩派の経済学者や環境活動家たちは、気候変動に歯止めをかけるために、排出量ゼロエネルギー資源の導入をもう何年も提唱し続けてきました。クリーンな再生可能エネルギーの導入は、提唱者たちが「グリーンニューディール」と呼ぶ政策群の中核を成すものです。グリーンニューディールそのものは、フランクリン・D・ルーズベルトのニューディール政策に着想を得つつ、経済成長に関してはケインズ経済学の論理に大方従っていると言って差し支えないでしょう。またグリーンニューディールと一口に言っても、実際は多くの人々が多種多様な政策提言を行っています。「グリーン経済」への政治的、経済的、そして文化的な抵抗勢力を乗り越えつつ、2050年までに排出量ゼロ経済を実現するための現実的かつ持続可能な構想には何が含まれるべきなのか——本質的な問題はこれであるように思えます。ポーリンさん、あなたはここ10年間でグリーンニューディールの推進にすでに多大な貢献をされています。あなたにとって、政治的に現実味があり、かつ経済的にも実行可能なグリーンニューディール構想はどういうものなのでしょうか。それはどのような意味をもち、どう機能するものなのでしょうか。

ポーリン　ＩＰＣＣの推計によると、２１００年までに地球平均気温の上昇を最大摂氏１・５度に抑えるためには、地球全体のCO_2実質排出量を２０３０年までに約45％削減し、２０５０年までに実質排出量ゼロに到達する必要がある。私の定義では、グリーンニューディールの本質はこうしたＩＰＣＣ削減目標の達成のための地球規模の構想の実施であり、またこれを実現する過程で優良な雇用機会を拡大し、世界各地の労働者や貧困層の生活水準を大幅に上げるということだ。特に難解なアイデアではない。

純粋な理論的命題や政策課題として見た場合、地球全体のCO_2排出量を２０５０年までに実質ゼロに持っていくという目標は十分に現実的だ。（ただし、実際にはこれを巡って多くの政治勢力や経済勢力が駆け引きを繰り広げており、話はもっと複雑だ。これについては後述したい）。この目標の達成のためには、高めに見積もっても年間平均で世界ＧＤＰの約２・５％を世界規模で投資支出に当てれば良い。この投資は次の2分野において行われる必要がある。第一に、既存の建物や自動車、公共交通機関や産業生産プロセスにおける省エネ基準の劇的な向上。第二に、化石燃料や原子力とも競争可能な価格で提供され、産業部門や地域を問わず世界中の人々が利用できるようなクリーン再生可能エネルギー源の劇的な拡大だ。こうした投資は、先述の森林破壊防止や森林再生支援という最重要分野を始め、優先順位が高い他の分野への投資によって補完される必要もある。

クリーンエネルギー変革に焦点を絞ろう。そこでは実施1年目に約2・6兆ドル（286兆円）の投資が必要となる。私が思うに、この構想が本格的に始動するのは現実的に見て2024年以降だろう。2024年から2050年までの支出平均額は約4・5兆ドル（495兆円）となる。27年間の投資サイクル全体におけるクリーンエネルギー投資支出総額は約120兆ドル（1・32京円）となるだろう。

この金額は公共部門と民間部門の両方を含む全体の投資支出総額を表している。産業政策や金融政策の文脈では、公共投資と民間投資の比率の決定やバランスのとり方が大きな課題となる。すでに論じたように、民間資本投資のみによってこの構想を実現できるなどと考えるのはまったく現実的ではない。他方で、公共事業が独力でこの規模と速度の構想を実施できるなどと考えるのも同じくらい非現実的だ。グリーンニューディールの推進は、それだけでも既存の新自由主義とネオファシズムの覇権争いを乗り越えるような形で資本主義を変革してくれるはずだ。前述のとおり、グリーンニューディールはオルタナティヴな所有形態が活躍する大きなチャンスとなるだろう。より小規模な公有、民有、そして協同組合所有、またそれらの組み合わせから成る様々な事業形態に新たな機会が生まれるわけだ。こうした事業形態は西ヨーロッパにおいて成功を収めている。大手民間企業より低い利益率でも経営が成り立つからだ。その上で、大手民間資本企業に厳格な規制に従いつつ参戦してもらう必要性もしっかりと認めるべきだ。

構想の詳細について言うと、世界規模のクリーンエネルギー投資をほぼ折半する、つまり世界レベルで投資の50%を公共部門から、50%を民間部門から引き出すのが適当に思える。本格的な投資活動が始まる２０２４年には、公共投資と民間投資がそれぞれ１・３兆ドル（１４３兆円）ずつ行われることになる。厳格な規制を維持しつつ大小様々な民間投資家に強いインセンティブを与えるような公的資金の有効活用法の決定こそ、ここでの大きな政策課題と言えよう。

クリーンエネルギー投資計画はグリーンニューディールの中核だが、これは時間と共に自ずと採算が取れていくものだ。この点は強調しておく必要がある。より詳しくこの論点を展開するとしたら次のようになる。この投資計画は世界各地のエネルギー消費者により安価なエネルギーを提供してくれる。新たな省エネ基準を導入することで、従来の高エネルギー活動に対して消費者が支払う金額が下がるからだ。車の運転を例にとると、アメリカの平均的な自動車は1ガロン25マイル（40キロメートル）しか走行できないのに対して、高性能プラグインハイブリッド車ならば1ガロン１００マイル（１６０キロメートル）の走行距離が実現できる。[i] さらに言うと、平均した場合、太陽光や風力だけでなく、地熱や水力による発電もまた、化石燃料や原子力とほぼ同程度またはそれ以下の安さでエネルギーを供給してくれるようになっている。こうした状況があるため、初期投資による支出は将来的なコスト削減によって徐々に回収できる。

２０１８年の世界クリーンエネルギー投資は、省エネ投資とクリーン再生可能エネルギー投資も含め、約５７００億ドル（62・７兆円）だった。これは現在の世界ＧＤＰである86兆ドル（９４６０兆円）の約０・７％に相当する。ＩＰＣＣの削減目標を達成するためには、クリーンエネルギー投資を世界ＧＤＰの１・８％にまで引き上げる必要がある。これは現在の世界ＧＤＰでは約１・５兆ドル（１５０兆円）に相当し、その後は２０５０年まで世界ＧＤＰの成長に合わせて上がっていくことになる。

同期間の30年で、石油、石炭、そして天然ガスの消費量もゼロになる必要がある。消費量の減少率は、移行計画の初めの数年間においては３・５％という比較的緩やかな値で良いが、化石燃料の供給基盤が２０５０年のゼロへと収縮していくに従って百分率の値も相応に引き上げられていく必要がある。ここで先述のノームと私の論点を改めて確認しておきたい。エクソンモービルやシェブロンなどの民有の化石燃料企業だけでなく、サウジアラムコやロシアのガスプロムなどの公有企業もまた、自己の利益や政治権力を守るために化石燃料消費量の大幅減を全力で阻止しようとするだろう。こうした強力な既得権益団体は打ち砕いていくしかない。もちろん、具体的にこれをどう実現していくかという難題は残っている。それでも、これをやるべきだという点ははっきりしている。この重要課題については後でまた詳しく論じたい。

2050年までに排出量実質ゼロ経済を実現するためには、大きな技術的課題をいくつも乗り越える必要もある。世界のエネルギー需要を満たす上で十分な量の太陽光パネルや風力発電機を設置するために必要となる土地利用の問題をはじめ、発電の断続性や送電、そして電力貯蓄に関する課題も存在する。「断続性」とは、太陽光や風は常時存在するものではないという事実を指す言葉だ。また、一般的に言って太陽光や風の量は地域によって大きな差がある。そのため、より多くの日照りや風がある地域で生み出された電力は、まず貯蓄された後で、太陽光や風が少ない地域へとリーズナブルなコストで送電される必要がある。

風力や太陽光エネルギーの送電と貯蓄は、クリーンエネルギー転換の始めの段階、少なくとも始めの10年ほどはあまり大きな問題にはならないだろう。というのも、クリーンエネルギー産業が急速に拡大するかたわらで、化石燃料や原子力は縮小へと舵を切りつつも非断続的なエネルギー供給基盤を提供してくれるからだ。実際、現在の世界のエネルギー供給の約85%は化石燃料と原子力によって賄われている。こうした供給源が突然消えてなくなることは無い。とはいえ、私の理解では、太陽エネルギーや風力の送電と貯蓄に関する技術的課題は、費用の問題も含め、10年もあればしっかりと克服できるはずだ。クリーンエネルギー市場が十分な速さで拡大していけば、解決策はほぼ確実にみつかるだろう。[ii]

これと関連して、再生可能エネルギー産業の急速な拡大に伴って必要となる天然資源がすべて十分に供給できるかどうかという問題もある。一言で言うならば、答えは「できる」だ。一部の必要資源、特に太陽電池の製造に必要なテルリウムに関しては、短期的な制約が生じる可能性が高い。それでも、テルリウムを含め予想しうる不足はすべて解決可能だ。例えば、必要な金属や鉱物のリサイクル産業を大幅拡大するという解決策もある。こうした資源の現在の平均リサイクル率は総供給量のわずか1％にも満たない。たった5％のリサイクル率を達成するだけでも、供給不足の問題の解決に大幅に近づく。[iii]

リサイクルに加え、太陽光パネルや風力タービン、そして電池の製造に必要な鉱物や金属の節約に関しても多くの機会が生じるだろう。産業の急速拡大に伴って、製造技術も大きく改善されるはずだからだ。また、供給不足の資源については代替材料を開発するという手もある。最近では、風力タービンや電気自動車の製造に使われる金属のネオジムが好例だ。ネオジムの世界価格が2010年にピークに達すると、製造者たちはネオジムの使用量を節約したり、そもそも必要資源としての使用を停止したりした。他の資源でも十分に代替が効くことが判明すると、ネオジム需要は20％~50％というペースで急速に減少した。[iv]

世界経済を再生可能エネルギーだけでまわすのは絶対に無理だという主張の根拠として、必要な土地面積の確保という問題がしばしば用いられる。2009年著作『持続可能なエネルギー』

においてケンブリッジ大学工学者の故デイビッド・マッケイ[1]は、再生可能エネルギーが必要とする土地面積の途方もない大きさについて詳細に論じている。マッケイの議論は発表以来たびたび引用されてきた。例えば、トロイ・ベテス[2]は2018年の『ニューレフト・レビュー』の記事にこう書いている。「完全な再生可能エネルギーシステムは、化石燃料に基づくシステムに比べおそらく100倍の広さの土地面積を必要とする。現在と同程度のエネルギー生産量を維持するためには、アメリカでは国土の25%から50%を、イギリスやドイツなど曇りがちで人口密度が高い国々では国土全体を、風力タービンや太陽光パネルやバイオ燃料用作物で覆うしかない[v]」。

ベテスはこの主張にほぼ何の根拠も与えていない。そもそもこの主張には根拠がない。この点を明確にするために、ハーバード大学の物理学者マラ・プレンティス[3]の仕事に目を向けてみよう。2015年作品『エネルギー革命——効率的な技術という希望と物理学』(未邦訳)やその後の議論において、プレンティスはアメリカ経済が2050年までにクリーン再生可能エネルギーのみによってまわるようになるということを論証している。プレンティスの議論は世界経済という文脈においても十分に通用する。

プレンティスが示しているように、アメリカ全国のエネルギー需要を太陽エネルギーと風力で完全に満たすためには、国土総面積の1%があれば十分だ。この必要面積の大半は、例えば太陽光パネルを屋根や駐車場に設置し、既存の農地の7%ほどを風力発電所に当てればクリアできる。

現在使用中の農地に風力タービンを設置しても、農業生産力はほとんど低下しない。大きな副収入源になるということもあり、農家の人々は農地のこの二重活用を歓迎するはずだ。現在、アイオワ州、カンザス州、オクラホマ州、そしてサウスダコタ州は州内の電力供給の30％以上を風力発電によって賄っている。残りのエネルギー需要を満たすには、地熱エネルギー、水力、そして低排出のバイオマス燃料を使えばよい。このシナリオには砂漠地帯へのソーラーファームの建設、ハイウェイへの太陽光パネルの設置、そして洋上風力発電事業などの他の有力な再生可能エネルギー補充案は含まれていないが、適切な手続きを踏みさえすればどれも十分に実施可能な選択肢

（1）David MacKay　イギリスの物理学者、数学者。ケンブリッジ大学教授、イギリスエネルギー・気候変動省主席科学顧問などを歴任した。アフリカにおける社会発展や効果的な教育にも関心が深く、ケープタウンのアフリカ数理科学研究所でも教えた。２０１５年に手術不可能な胃癌を宣告され、翌年に48歳の若さで他界した。

（2）Troy Vettese　ハーバード大学歴史学博士研究員。専門は環境史、動物学、マルクス主義経済学。現在、新著『Half-Earth Economics』を執筆中（２０２２年に Verso から出版予定）。書名は生物学者エドワード・Ｏ・ウィルソンの２０１６年著作『Half-Earth』（半地球）に着想を得ているが、ウィルソンは同書で地球上の生物多様性を守るためには地球の総面積の約半分を人的介入から自由な自然保護区域に指定すべきだと主張した。

（3）Mara Prentiss　ハーバード大学物理学教授。生物の自己組織化やＤＮＡ鎖交換における物理学的原理の解明を専門としており、１００本以上の学術論文を発表している。

だ。

たしかに、アメリカは他の多くの国々に比べ好条件が整っている。例えば、ドイツやイギリスはアメリカに比べ人口密度が7倍から8倍も高く、年間の太陽光の量も少ない。そのため、こうした国々が国内のエネルギー需要を国内の太陽光エネルギーによって満たすためには、高いエネルギー効率を保ちつつ国土総面積の3%を使う必要がある。コスト効率の高い貯蓄送電技術を採用すれば、イギリスやドイツは他国で発電された太陽光エネルギーや風力を輸入することもできる。アメリカにおいてアイオワ州で発電された風力をニューヨーク市へ送電するのと同じ理屈だ。いずれにしても、必要となる輸入量は少なく済むだろう。現時点でイギリスやドイツはすでにエネルギー輸出国だ。

プレンティスがアメリカを対象に行った推計を世界経済へと拡大してみると、本質的な洞察が得られる。人口密度や太陽光および風力の利用可能量という点では、世界の平均的な条件はドイツやイギリスよりもアメリカのそれに近い。2019年の論文にてプレンティスが説明しているように、蓄電池の導入や通常の送電装置の改良を含む多様なアプローチをとりさえすれば、「アメリカにおいて再生可能エネルギー100%経済を実現するにあたって科学技術が障壁となることはまずない[vi]」。

チョムスキーさんもグリーンニューディール構想を熱心に支持されていますよね。そこで質問です。この構想の目的は地球を救うことなのでしょうか。それとも、左派の人たちが批判するように、実は資本主義の救済が真の目的なのではないでしょうか。

チョムスキー　やり方次第ではどちらにもなり得る。そもそも、これは本当の意味での二者択一ではない。「地球を救う」ためにはグリーンニューディールが何かしらの形で必要だ。問題はどのような形が最善かという点だが、私にはロバートが先ほど詳しく展開したような方針が最適解であるように思える。うまくいけば、グリーンニューディールは「資本主義の救済」を同時にやってのける可能性もある。「実在する資本主義」がもつ自滅的な傾向に歯止めをかけ、より適切な社会組織制度へと転換するわけだからね。この新制度はかなり大まかな意味で「資本主義」の範囲に入るかもしれない。個人的にはそれよりもはるか先へと進歩してほしいと思っているし、そのような大志は決して非現実的ではないと思っているが、これは今の話とはまた別の問題だ。

気候変動に関するトピックの中でも特に近年盛り上がってきているものに、空気中から累積二酸化炭素を取り除く上で先進的新技術が担いうる役割をめぐる議論があります。そこでは地球工学（ジオエンジニアリング）等の画期的な技術的解決策が取り上げられてもいます。このような炭素削減技術についてはどうお考えですか。

ポーリン　排出量相殺技術[4]と一口に言っても、その内容は幅広く、そこには既存のCO_2を除去する技術もあれば、CO_2を含む温室効果ガスの温暖化効果を相殺するために大気圏に冷却力を注入する技術もある。除去技術の大きなカテゴリーの一つとして二酸化炭素回収・貯留が挙げられる。冷却技術のカテゴリーの一例としては成層圏エアロゾル注入がある。

炭素回収技術のねらいは、排出済みの炭素を大気圏から除去し、主にパイプラインを使って表層地質にこれを輸送し恒久的に保存することだ。自然界における簡明な炭素回収技術の一種として植林が挙げられる。森林がない地表や森林破壊が進んだ場所において森林の面積や密度を高めるわけだが、このとき（より一般的な用語で言うと）「森林再生」は重要な役割を担う。

一般的に言うと、炭素回収技術は数十年にもわたる努力があったにも関わらずいまだに商業規模での有用性が示されていない。輸送貯蓄システムの欠陥による炭素漏出の危険性は、ほぼすべての技術が抱える共通の重要問題だ。炭素回収が商業化され、安全性基準の厳守が利益に食い込むような動機構造の中で実施されるようになれば、こうした危険性は一層高まるだろう。

これに比べ、植林は広範な排出量削減対策の一環として有益になり得る。植林地域は自然に多くのCO_2を吸収してくれるからだ。とはいえ、植林にも大きな課題がある——大気圏に既に累積されたCO_2や今も続く化石燃料消費から新たに生じる排出量を、植林は現実的にどれくらい吸収できるのかという問題だ。ドイツのポツダム州サステナビリティ高等研究所のマーク・ローレンス(5)らが最近行った入念な分析からは、植林は２０５０年まで年間5億トンから35億トンのCO_2を現実的に削減できるという結論が出ている。[vii] しかし、先述のとおり現在の世界CO_2排出量は３３０億トンだ。ローレンスらの推計がおおよそ正しければ、植林はクリーンエネルギー転換計画の一環として補助的な役割こそ担えるものの、２０５０年までに排出量ゼロを達成するための戦略の中心にはなりえない。

成層圏エアロゾル注入という発想は、１９９１年にフィリピンで起こったピナトゥボ山の火山

（４）　negative emissions technologies　直訳すると「負の排出技術」だが、温室効果ガスの効力を相殺する技術一般を指す語であるため、やや意訳よりの訳語を採用した。

（５）　Mark Lawrence　ドイツの化学者、気候科学者。ポツダム大学名誉教授、ポツダム州サステナビリティ高等研究所所長。大気汚染、気候変動、地球工学、また脆弱地域における環境ガバナンスを専門としている。１５０本以上の学術論文を発表しており、現在は人新世における重要課題の理解と解決に向けた研究を行うチームを率いている。

噴火に端を発する。この大噴火によって大量の灰とガスが注入され、硫酸塩粒子すなわちエアロゾルが生成されて成層圏へと上昇していった。これによって、地球の平均気温は15ヶ月間で摂氏0・6度ほども下がった。[viii] 現在開発中の技術は、成層圏に硫酸塩粒子を意図的に注入することでピナトゥボ山噴火の効果を人為的に複製しようとするものだ。一部の研究者たちは、これは温室効果ガスによる温暖化の影響を相殺する上でコスト効率の高い方法だという立場をとっている。

ローレンスらの研究では、炭素回収、エアロゾル注入、そして植林を含む主要な排出量相殺技術が網羅されている。こうした俯瞰的な吟味からは、どの技術も地球温暖化の影響を巻き戻すほどの水準には達していないという結論が出ている。ローレンスらはこう書いている。

現在提唱されている気候関連地球工学技術は、大きな成果を期待できるほどのものではない。……仮に気候関連地球工学技術を積極的に開発し、当初の展望どおりこれが地球規模で機能するようになるとしても、実装は早くても今世紀後半まで待つ必要があるだろう。……CO_2を含む諸々の気候強制力の増加による温暖化を十分に相殺し、摂氏1・5度以内に（あるいは摂氏2度以内にさえ）温暖化を抑えるには、これでは遅すぎる。この先10年間で計画されている努力よりもさらに大きな緩和努力が2030年以降行われない場合はなおさらだ。[ix]

ローレンスらが出したこの結論は、ノームが先ほど挙げたレイモンド・ピエールハンバートの結論と呼応している。前述の通り、ピエールハンバートはＩＰＣＣ第三次評価報告書の筆頭共著者だが、２０１９年の論文『気候危機対策にプランＢは無い(6)』において地球工学は気候危機への適切な解答ではないときっぱり言い切っている。

チョムスキーさんはこの問題についてどうお考えですか。地球を脅かすこの気候危機と戦うとき、技術的解決策がもつ可能性をもっと模索していくべきでしょうか。

チョムスキー　私はこの問題に関しては専門的能力を持っていないので、十分な理解に基づいた判断はできない。それでも、地球工学における画期的な技術導入は、人類が目前で起こっている

(6) There Is No Plan B for Dealing with the Climate Crisis　プランＢとは代案のこと。「気候危機に対しては行動を起こす他に道は無い」という意味と「気候危機に対する有効な対策は一つしかない」（すなわち地球工学によるアルベドの人為的な引き上げのような技術的解決策は脱炭素への代案にはなりえない）という意味の両方をあわせもつタイトル。論文自体は未邦訳。

現象から目を逸らし続けた場合に使うべき最終手段だと言うだけの根拠は豊富にあるように思う。先ほど挙げたピエールハンバートの記事では、諸々の技術がもつ大きな制約が詳細かつ賢明に分析されている。同時にピエールハンバートは、実施の見通しが立っており、有効性が期待でき、かつ害悪が生じないとある程度自信を持って言える場合には、技術的解決策を積極的に検討していくべきだともしている。こうした条件の達成は簡単ではない。不確定要素は必ず存在し、一得一失に常に気を配る必要があるからだ。例えば、電化の必要性には多くの人々が合意している。しかし、そのためには銅が必要だ。銅は枯渇性資源であり、既存の技術では生態系に悪影響を与える形でしか採掘されえない。このような難題は避けて通れないものだが、それでも持続可能かつ健全な生態系へと歩を進めるに際して最善と思われる技術は積極的に検討されるべきだ。実際、地球工学には実に多くの選択肢が含まれている。そもそも人類は広義の地球工学を長い間続けてきた。肥料目的での人工的な窒素固定がその一例だ。こうした慣習の廃止もまた容易ではない。都市化という形での土地利用が拡大し、人口が増えていくにつれて、農業生産力への需要拡大もまた避けられないからだ。とはいえ、ロバートがすでに論じたように、一連の技術には人類の許容範囲を超える悪しき副作用がある。これを慎重に管理するためには、進歩的な土地管理方法を採用しつつ、大気圏から炭素を除去する技術にも——これも地球工学の一形態だ——補助的な役割を担ってもらう必要がある。

やるべきことはまだまだある。例えば、工業型食肉生産はもはや許容すべきではない。倫理的な問題を脇に置いたとしてもなお、地球温暖化の大きな原因となっているからだ。私たちは持続可能な農業に基づく植物中心の食生活へと切り替えるべきだ。課題は決して小さくない。

さらに話を広げると、利益目的の生産活動を基盤とする社会経済制度自体が、すべてをなげうってでも成長を続けよという至上命令も含め、もはや持続不可能となっている。根源的な価値に迫る問題も無視してはならない。真っ当な生き方とは何なのか。主従関係は許容すべきものなのか。商品の生産消費量の最大化が人生の目的となっても良いのか。ソースティン・ヴェブレンが今からずっと前に近代社会の特徴として考察してみせたように、商品の量の最大化という原則は、願望の製造に特化した巨大産業の力によって人々の意識に深くすり込まれている。当然ながら、より高尚かつ充足的な人生目標は他にある。

将来的な排出量ゼロ経済において、原子力は何か役割を担えるでしょうか。

ポーリン　2018年に原子力は世界エネルギー供給総量の約5％を占めていた。世界の原子力エネルギーの90％近くは北アメリカ、ヨーロッパ、中国、そしてインドにおいて生成されている。２０５０年までに世界のCO_2排出量実質ゼロ目標を達成する上で、原子力は重要な強みを持っている。発電に際してCO_2排出も大気汚染も全く生じないからだ。

　こうした理由から、排出量ゼロの世界経済を構築するためには原子力エネルギー供給を大幅に拡大すべきだと熱心に論じる人たちもいる。その一人として、元ＮＡＳＡのジェイムズ・ハンセンがいる。ハンセンはここ数十年間気候変動への断固たる対策を求めて闘い続けてきた気候科学者としてつとに有名だ。２０１５年にハンセンは、著名な気候科学者であり同僚でもあるケリー・エマニュエル[7]、ケン・カルデイラ[8]、そしてトム・ウィグリー[9]と共にこう書いている。

> 気候システムにとって意味を持つのは温室効果ガスの排出量であり、発電源が再生可能か原子力かという点ではない。再生可能エネルギーだけで世界のエネルギー需要を完全に賄うことは十分に可能だと主張する人たちも存在する。しかし、１００％再生可能エネルギーという構想は、非現実的な技術レベルを仮定してしまっており、結果として断続問題の軽視や無視をしてしまっている。……原子力を大規模に導入すれば、太陽光や風力でエネルギーギャップを埋めるという考えもぐっと現実味を帯びてくる。[x]

ハンセンの議論は2019年版『世界エネルギー展望』でも強く支持された。『世界エネルギー展望』は国際エネルギー機関が発行し、世界エネルギー問題に関する資料として最も広く認知されている出版物だ。2019年版には次の結論が書かれている。「世界各地でクリーンエネ

(7) Kerry Emanuel　マサチューセッツ工科大学大気科学教授。大気圏対流やハリケーンの激化のメカニズムの研究を専門としている。2006年には『タイムズ』誌の「最も影響力のある100人」にも選ばれた。5冊の書籍に加え、多数の学術論文を発表している。また連邦議会での証言から一般大衆向けのポッドキャストへの出演まで幅広い啓蒙活動にも力を入れている。

(8) Ken Caldeira　カーネギー研究所大気科学研究員。専門は海洋酸性化、樹木の気候への影響、人為的気候操作、そして気候システムにおける諸々の相互作用。IPCC第五次評価報告書の共著者の一人でもある。2011年にIPCCの筆頭著者を辞任した際にもIPCCの重要性を強調し、「もし同僚の仕事に対して科学的反論があれば、私は辞任せずに反論をしたはずです。よって、私の辞任は同僚の仕事への信頼を示す一手として解釈されるべきです」と述べた。またカルデイラは2013年に、政策立案者に向けて「安全な原子力システムの開発と設置を推進せよ」「原子力への反対運動は人類が気候変動の危機を乗り越える能力を失わせる危険性がある」と呼びかける公開書簡に署名してもいる。

(9) Tom Wigley　アデレード大学気候科学教授、米国科学振興協会フェロー。カーボンサイクルのモデリングをはじめ、気候変動の基礎となる科学理論の構築に多大な貢献をした。またIPCCの各種報告書への共著を含め多くの学術論文を発表している。カルデイラと同じく、2013年には安全な原子力システムの推進を呼びかける公開書簡に署名した。

ルギー転換を実現するためには、再生可能エネルギーや炭素回収技術に加え原子力も必要となるだろう[xi]」。

しかしながら、推進派は原子力を支持するにあたって、世界規模での大掛かりな原子力発電所建設に不可避的に伴う根本問題を軽視している。そこでまずは、環境への影響と公衆の安全という二つの分野における諸問題から検討してみよう。

放射性廃棄物　こうした廃棄物にはウラン抽出尾鉱や使用済み核燃料も含まれるが、アメリカエネルギー情報局（ＥＩＡ）はこれらについて「数千年にわたって放射性や人体の健康への危険性を持ち続ける可能性がある」と述べている[xii]。

使用済み核燃料の貯蔵と発電所の廃炉　使用済み核燃料集合体は放射性が非常に高く、特設プールや特設貯蔵器へ貯蔵される必要がある。原子力発電所が運転期間を終えた後、発電所を安全に撤去し、跡地がその他の用途にあてられるようになるまで除染をするというのが廃炉の手順だ。

政治的安全保障　当然だが、原子力は電力だけでなく殺戮兵器の材料にもなり得る。核兵器保有力の拡散は、戦争やテロを目的に原子力を利用するような組織（政府組織も含む）の手に核保有力が行き渡る危険性を生む。

原子炉溶解（メルトダウン）　原子力発電所における核反応が制御不可能となってしまうと、原子炉から半径数百マイルにも及ぶ範囲で空気や水が汚染される可能性もある。

世界ではここ数十年間、原子力に付随するこうしたリスクはその利点と比べれば小さく、管理も十分に可能だという見解が支配的であり続けてきた。しかし、２０１１年3月に日本の東北地方でマグニチュード９・０の大地震と津波が起こり、福島第一原発にメルトダウンが発生したとき、この見解は修正を迫られた。福島メルトダウンの影響はまだ完全には解明されていないが、発電所の廃炉と被害者への損害賠償金額は、現時点での最新の推計では２５００億ドル（27・5兆円）となっている。[xiii]

福島においては安全規制が明らかに大失敗していた。日本は高所得経済国であり、他のどの国よりも大きな被害を原子力から受けてもいる。そのような国でこの事故が起こったという事実は覚えておく必要がある。日本においてさえ原子力安全規制は機能しなかった。日本以外の国々で原子力発電所を大規模に建設した場合、日本よりもさらに厳格かつ効果的な規制が役割を果たす保証などどこにもない。そもそもこうした大規模建設事業は、日本よりも公共安全予算がはるかに低い国々においても実施されるのだから。

ここからはコストに関するより一般的な問題が出てくる。トランプ政権下のエネルギー省ですら、原子力の発電コストは太陽光や陸上風力に比べ約30％高いと述べている。[xiv] しかも再生可能エネルギーのコスト、特に太陽光のコストはここ10年間で急激に低下してきており、将来的にはさらに大幅なコスト減が期待できる状況だ。対して、原子力は「負の学習曲線」を辿っている。つまり、時間の経過と共に原子力のコストは高くなってきているわけだ。その主な原因は、福島のような大事故が起こる危険性を本気で最小化するためには、原子炉1基を稼動するだけでも数十億ドル（数千億円）規模の追加コストがかかるという理解が進んだからだ。原子力発電所建設の世界的リーダーである巨大多国籍企業、ウェスティングハウスが２０１７年に破産申告を余儀なくさせられた理由もここにある。

国際エネルギー機関（ＩＥＡ）でさえ、２０１９年版『世界エネルギー展望』で原子力を推進した際にも非常にお粗末な擁護論を展開していた。そこでは、先進諸国がクリーンエネルギー転換の一環として原子力を完全に手放し再生可能エネルギーに特化した場合、「先進国経済において消費者が支払う電気代は５％高くなる」という結果が出ている。[xv] 最悪の場合でも電気代が５％上がるだけであれば、それは原子力エネルギーが不可避的にもつコストや危険性を完全に回避するための対価として取るに足らないものだと言えるだろう。

この先30年間で世界規模のクリーンエネルギー転換を進めるにあたって、既存の原子力発電所を稼動期間内で引き続き運転しても良いという議論はあり得る。しかし、既存の発電所を10年や20年継続して運転することは、新規原子炉の大規模展開と混同されてはならない。周知のとおり、省エネや再生可能エネルギーへの投資さえあれば、30年以内に排出量ゼロの世界経済を実現できるからだ。

チョムスキー　私にはこれは何とも言えない問題だ。危険性の存在は明白であり、広く知られている。既存の技術でも、原子力エネルギーの保有は核兵器開発能力へと発展し得る。悪夢のような展開だ。さらに、原子力には核廃棄物の処理など未解決の技術的問題もある。今回の危機を乗り越えるにあたって、原子力エネルギーに頼らずに済む道があれば理想的だが、原子力を使うという選択肢を初めから否定するのは短絡的だとも思う。

気候変動と経済格差を結びつける研究が進んでいます。気候変動と格差の間にはどのような関係があるのでしょうか。またグリーンニューディールは世界規模の経済格差解消にどう貢献するのでしょうか。

ポーリン　気候変動と格差の間にはいくつかの関係がある。議論の出発点として、次の問いを考えてみよう。そもそも気候変動を起こした責任は誰にあるのか。より正確には、気候変動の原因である温室効果ガスを大気圏に放出した責任は誰にあるのか。一言で答えると、CO_2排出量に注目し、産業革命以降の期間、すなわち1800年頃から現在に至るまでの期間における化石燃料の燃焼の記録を追ってみるとわかるが、気候変動を起こした責任はほぼ完全にアメリカと西ヨーロッパにある。すなわち、こうした国々は少なくとも1980年までは累積排出総量の70％近くを排出してきた。国民一人当たりのレベルで見ると、1980年までの排出量の差はさらに極端だ。例えば1980年のアメリカの年間平均排出量は国民一人当たり約21トンだった。これは当時の中国国民一人当たりの排出量である1・5トンの14倍であり、インド国民一人当たりの排出量である0・5トンに比べると実に42倍にものぼる数値だ。[xvi]

　しかしながら、各国を比較対照するだけでは、排出量と格差の関係の全容を捉えることはできない。理由は言うまでもなく、各国内における個人の化石燃料エネルギーの平均消費量すなわち排出量には、所得や消費水準によって大きな格差があるからだ。2015年の世界人口全体を所得レベルで整理した場合、個人消費に付随する排出量の実に半分近くが世界の所得上位10％から来る一方で、下位50％は消費由来排出総量のたった10％しか生み出していない。[xvii]
もちろん、１９８０年代初頭から史上稀に見る速さで経済成長を続けてきた結果、中国は２０１７年には世界最大のCO_2排出国となっており、アメリカが同年53億トン（世界排出量の15％）を排出したのに対して98億トン（世界排出量の27％）を排出している。それでもなお、国民一人当たりの排出量で見た場合、アメリカが16・２トンであるのに対して中国はその半分以下の7トンでしかない。

格差と気候変動を考える上で重要となる第二の視点は、被害の配分だ。気候変動の被害を受けているのは誰であり、また気候の変化が進むにつれて一層ひどく苦しむことになるのは誰なのか。マサチューセッツ大学の同僚のジム・ボイスはこの問題について長年優れた研究を続けてきた。その要約として、ボイスは次のように書いている。

富裕国は貧困国よりも多くの化石燃料を燃やし、より多くの二酸化炭素を排出している。また各国内においても富裕層の方がより多くの物品やサービスを消費しているため、化石燃料経済からより多くの恩恵を受けている。対して、地球温暖化から最も大きな被害を受けるのは貧困国や貧困層の人々だ。空調設備や防波堤等の対策措置への投資能力が低いからだ。この人たちはギリギリの状態に置かれており(10)……地球温暖化の被害が最も大きいと気候モデルから予測される地域に住んでいる。そこには干ばつの危険性が高いアフリカのサハラ以南地域や、台風に襲われやすい南アジアや東南アジアの地域が含まれる。そこには世界でも最も貧しい人々が住んでいる。[xviii]

さらに言うと、世界の石油、石炭、そして天然ガス産業を廃止した場合、化石燃料産業に生計を頼っている労働者や地域社会の方が、民間化石燃料企業の所有者（すなわち株主）よりもはるかに大きなコストを背負う羽目になるだろう。諸企業や株主が置かれている状況については先ほどすでに論じたが、改めて主な論点を整理しておこう。言うまでもなく、化石燃料企業の金融市場価値はこの先20年から30年の間で大幅に下がるだろう。こうした企業が所有する埋蔵石油、石炭、そして天然ガスは、気候を安定させたければ絶対に燃やしてはいけない資源だが、その価値は約3兆ドル（330兆円）と推計されている。とてつもない金額だ。とはいえ、すでに述べたように、未燃焼の石油、石炭、そして天然ガスの所有に基づく企業価値3兆ドルは、この先30年間ほどで少しずつ緩やかに下がっていくだろう。平均すると、年間1000億ドル（11兆円）ほどのペースで化石燃料企業の価値が下がるわけだ。これも決して小さくない数字だが、例えば2019年には317兆ドル（3・487京円）だった世界金融市場の価値総額に比べれば微々たる金額だ。年間１０００億ドル（11兆円）の下落は世界金融市場の現時点での時価総額の約０・０３％に相当する。こうした数字を前にしたとき、それなりに有能な金融投資家ならば誰でも、化石燃料から撤退して他のところへ投資を始める時期が来ていることに気がつくはずだ。

化石燃料産業に生計を頼る労働者や地域社会には、このような滑らかな移行という選択肢は用意されていない（労働者や地域社会を支えるために効率的で手厚い「公正な移行」政策が実施された場合は話が別だ）。なぜかと言えば、こうした人々の生活や地域社会の活気は化石燃料産業における雇用と完全に結びついているからだ。地元地域の化石燃料事業が廃業となってしまえば、労働者は解雇され、住宅不動産は価値を失い、税収が失われ、公立学校や病院、公共安全や道路の清掃、公共交通や公園などのための資金が干上がってしまう。

後でより詳しく論じるが、以上の理由から、グリーンニューディールの名を冠するに値する構想は必ず「公正な移行」政策をその中核に据えるべきだ。これは世界中のあらゆる地域について一様に言える。さらに話を広げると、グローバル・グリーンニューディール構想はCO_2排出量実質ゼロを２０５０年までに達成するにあたって、今まさに私たちに与えられている可能性を積

(10)　They live closer to the edge　「沿岸部に住んでいる」という解釈も十分に成り立つが、次の行で参照されている地域の特性を考慮に入れつつ「ギリギリの状態に置かれている」という意味の方を強調した。なお原文はこの２つの意味を同時に含んでいる。

極的に実現していくようなものになるべきだ。すなわち優良な雇用機会を拡充し、世界中の労働者や貧困層の人々の生活水準を引き上げるような構想となる必要がある。そうすればグローバル・グリーンニューディールは、2世代にわたって世界を支配し続けてきた企業崇拝型の新自由主義的資本主義を打ち倒すだけでなく、新自由主義に対する歪んだ似非ポピュリスト的反応としてのネオファシズムの台頭にも打ち勝つ手段となり得るだろう。

気候変動による被害は国や発展段階や階級によって不平等に配分されるわけですが、この問題を受けてインドのナレンドラ・モディ首相を始めとする一部の発展途上国のリーダーたちは「気候正義」を語るようになってきています。つまり、気候危機を招いたのは自分たちではなく、他国経済であるという主張です。この見地に立つと、一つの疑問が浮上します。そもそもこうした国々はなぜ気候変動対策として自国の経済成長を犠牲にし、その対価を背負う必要があるのでしょうか。以上のような「気候正義」の論理について、チョムスキーさんはどうお考えですか。

チョムスキー　その主張にはそれなりの妥当性がある。さらに言うと、インドを含む貧困諸国は、今回の危機を引き起こした責任がほとんどないにも関わらず、その最大の被害者となっている。とはいえ、特にこうした国々が直面する将来的被害を思ってみればわかるように、さきの主張を言い訳にして気候危機対策を延滞するのは自殺行為だ。正しい応手は、富裕諸国が持続可能エネルギーへの転換に際して必要な援助を提供するという道であり、これは――過度に限定的で弱気な形ではあるものの――国際協定にも反映されている。すでに述べたように、共和党一派がこのような解決策を許容するはずはないのだが。

必要な援助を提供する方法は色々ある。そこには国家予算全体で言えば誤差の範囲に留まるくらい少額でもなお大きな影響をもつようなシンプルな方法も含まれる。一例として、インドの国土の大半はより過酷で頻繁な熱波によって生存がほぼ不可能な状態に達している。2019年にはラージャスターン州で気温が摂氏50度にまで上がった。財布に余裕がある人たちでさえ、かなり効率が悪く排気もひどい空調設備を使っている。これは簡単に解決できる問題だ。富裕諸国の愚行が招いた結末によって苦しむ人々に対して支払うべき費用として、これは高すぎるだろうか。断っておくが、この程度の援助はあくまで最低限のレベルだ。これよりもはるかに大きな一歩を踏み出す能力は富裕諸国に十分備わっているはずだ。国内社会や国際社会において最も脆弱な人々にこそ最も優先的に助けの手を差し伸べるべきだという考えが人々の共通見解となり、こうした共通見解を実践に移すために諸機関が抜本的に変革される日を迎えることだってできるだろう。バクーニンも言うように、私たちは未来の社会の基盤を現在の社会の中で作るべきであり、より人道的な社会秩序の基盤となるような感性の確立を目指して日々努力を続けるべきだ。これは特に新しい考えではなく、常に念頭に置くべき理念だ。

地球の平均気温は1880年比ですでに摂氏1・1度(華氏2度)ほど上昇しています。ここ10年間ほどでも、記録的な大嵐、森林火災、干ばつ、珊瑚白化[11]、熱波、そして洪水が世界各地で発生しています。貧しい地域や共同体ほど手酷い打撃を受けるものです。理由は単純で、自己防衛のための資源をあまり持っていないからです。現在進行形で発生している甚大な被害から人々、地域社会、そして環境を保護するために必要とされる大きな一手を、具体的に教えてください。

ポーリン この質問は二部構成になっているね。どちらも重要な部分なので、改めて強調しておこう。まず、気候変動は私たちの子どもや孫やひ孫たちだけの問題ではないという点を明確にしておきたい。(ちなみに実際の該当世代はどの気候予測モデルが正確かによって決まる)。気候変動の影響は今の時点ですでに現れ始めている。例えば、世界気象機関(WMO)の2019年版

『世界の気候状況に関する報告書』には次のような報告がされている。「温室効果ガスの濃度が記録的な高さに達し、地球気温がより危険なレベルにまで押し上げられていくにつれて、気候変動の物理的な現象や社会経済的な影響もますます悪化してきている[xix]」。

ご指摘のように、気候変動に由来する出来事から最も重い被害を受けるのは決まって低所得層の人々や地域社会だ。乾燥地農家は水源として雨に依拠し、洪水の防止を森林に頼っているため、干ばつや洪水の頻度が上がった際に最も大きな影響を受ける立場にある。干ばつや洪水によって食物価格が高騰した場合、貧しい人々は必要な食料品を購入できなくなってしまう。また低所得層の地域社会ほど排水システムの効率が悪く、洪水を防ぐための堤防やダムの数も最も少ない。WMOの2019年報告書は以上のような影響について衝撃的な証拠を提示しており、熱帯低気圧イダイをはじめ2018年に起こった異常気象現象に焦点が当てられている。イダイは壊滅的な洪水を引き起こし、モザンビーク、ジンバブエ、そしてマラウイで1300人以上の人々の命を奪い、さらに数千人の人々が行方不明となった。報告書にはさらに2018年に起こった洪水

(11) coral bleaching　珊瑚礁が共生相手の藻類を放出して白化すること。一定期間内であれば回復も可能だが、長引くと珊瑚礁の死滅につながる。水温上昇が主な原因だが、他にも酸素不足や海水の酸化等を含め多くの要因がある。珊瑚白化が進む前に絶景を堪能しようという「ラストチャンス観光」や、生態系の破壊に対する「環境喪失感」の引き金にもなっている。

が２８１件示されているが、これは総勢３５００万人以上の人々に影響を与えた。そこにはここ１００年間ほどでも最悪の豪雨や洪水に襲われた、インドのケーララ州の住人たちが含まれる。また２０１８年には世界的飢餓も異常気象の影響で悪化してしまった。それまで飢餓も栄養不足も長きにわたって改善され続けてきたにも関わらずだ。現在の世界の飢餓人口は約８２００万人（世界人口の10％以上）だが、地球平均気温が上昇していくにつれてこの数値も上がり続けるだろう。

　そのわずか1年前、すなわち２０１７年には、ハリケーン・イルマとハリケーン・マリアがプエルトリコを襲った。特にマリアの方は、プエルトリコがここ80年間で経験した中でも最悪の大嵐だった。プエルトリコ政府の推計によると、イルマとマリアは３０００人近くの人々の命を奪い、同年の島の農作物の80％が失われ、不動産への被害も９００億ドル（９・９兆円）にのぼった――プエルトリコの同年のＧＤＰの90％に匹敵する数値だ。[xx] ウォール街とアメリカ政策立案者たちによる過酷な緊縮政策を押し付けられ、プエルトリコは重度の経済危機に陥っていたが、気候変動に起因する災害はこの危機をさらに深刻化させてしまった。

　似たような出来事はこれから先ますます頻繁になっていくだろう。そのため、グローバル・グリーンニューディール構想には気候変動による被害に対する強固な防御策を搭載すべきだ。その第一弾として、まずは食料、種苗、そして飲料水のための貯蔵施設を大幅に増築し、気候現象に対する防衛措置を万全に施すべきだろう。その次は、水の需要の管理のためのインフラを整備する必要がある。そこには防波堤、ダム、ポンプ、透水性舗装、そして緩衝作用のある植物の充実が含まれる。脆弱性が高い地域に存在する建造物には、防御壁や「緑の屋根」を組み込み、雨水や熱気への耐性をつけるのが良い。またこうした地域に新たな建物を新築する場合は、高めの土台や高床式建築を採用すべきだろう。さらには、有機農業には先述の企業的農業と比較したときの利点に加え、気候変動の被害への防御策という面でも重要な強みがある。有機農業は工業型農業に比べて保水力が高く、水の利用法としても効率が良く、土壌浸食への対策としても有効だ。干ばつ等の悪条件のもとでの収穫量も有機農業の方が多い[12]。

物理的防御策を以上のような形も含め万全に実施した上で、気候変動がもたらす損害に備えて

---

(12) Crop yields are also higher through organic farming… 補足すると、2019年の世界の農地面積に有機農業が占める割合はたったの1・5%だった。また動物性素材を一切使用しない「植物性農業」(ヴィーガニック・ファーミング)に関する研究も主にアメリカで始まっており、ここでも土壌の健全性や収穫量の安定と増加などの利点が農家の証言から明らかになっている。参考文献：Helga Willer, et al. (eds), *The World of Organic Agriculture: Statistics and Emerging Trends 2021*, Frick: Research Institute of Organic Agriculture FiBL & Bonn: IFOAM - Organics International, 2021; Mona Seymour and Alisha Utter, "Veganic Farming in the United States: Farmer Perceptions, Motivations, and Experiences," *Agriculture and Human Values*, June 2021.

効果的かつ手頃な値段の保険を個人や地域社会のために用意する必要がある。これはほぼすべての状況において公営保険という形をとるだろう。脆弱な立場にある人々にとって、該当する民営保険は不動産や農作物への損害補償も含めほぼ必ずと言って良いほど値段が高すぎるからだ。公営気候保険制度は経済全体を対象として実施可能であり、社会保障や失業保険のような既存の社会保険制度と組み合わせるという道もある。あるいは、貧困地域向けのマイクロファイナンスの革新的な形態として、より小規模の地域単位での導入も考えられる。

言うまでもなく、こうした適応策にはお金がかかる。すでに世界には様々な金融支援制度が存在する。そこには気候への適応に特化したものもあれば、インフラや住宅開発のような分野における総合政策の一環として実施されているものもある。しかしながら、既存の支援レベルは明らかに不十分だ。低所得の地域や共同体に対しては特にそうだ。このような世界規模の事業の資金源として高所得諸国の政府が大きな役割を担うべきだという主張の正当性は、最小限の良識さえ持っていれば誰にでも明白だろう。高所得諸国には大気圏に温室効果ガスを充満させてきた責任がある一方、低所得層の人々や地域社会は現在進行形で気候変動の悪影響を不当に多く受けているのだからね。

炭素排出量の削減を進めるためには、すべての国々が全力を挙げて闘う必要があります。とはいえ、グリーンニューディールへの資金調達という点では、富裕諸国の方が貧困諸国よりもはるかに豊富な資源を有しています――これは明らかな事実です。しかも富裕諸国は今回の危機を招いた張本人でもあるのです。この文脈で「気候金融」を語る必要があります。ポーリンさん、グローバル・グリーンニューディールの投資戦略として現実的かつ実践的な道を示していただけますか。

ポーリン　まず始めに、産業政策と金融政策を合わせて検討し、排出量ゼロの世界経済を構築するためのまとまった枠組みとして捉えることが重要だ。それでは、各政策分野を順番に見て行こう。

産業政策

技術革新のみならず既存のクリーンエネルギー技術の応用も広く促進するような産業政策が必要だ。政策内容は各国がそれぞれ自国の特徴に合わせてカスタマイズしていけば良い。

活発なクリーンエネルギー市場をうまく確立するための主な政策介入として、各国政府が自ら省エネへの大型投資家となり、またクリーン再生可能エネルギーの買い手となるという一手が考えられる。1950年代を皮切りに米軍はインターネットの開発を内部で進めたが、これは今回の政策議論に対しても重要な意味をもつ歴史的実体験だ。インターネットを商業規模にするまでの過程で、米軍は35年間も市場の存在を保証し続けた。おかげでインターネット技術は、民間投資家が効果的な商業化戦略を徐々に展開するかたわらで着々と洗練されていった。[xxi]

民間部門による購入を通じてクリーン再生可能エネルギーの価格安定を保証することも重要だ。この種の政策は「固定価格買い取り制度[13]」と呼ばれる。具体的には、電力会社は民間の再生可能エネルギー発電所から長期契約に定められた固定価格で電力を買い取るよう義務付けられる。アメリカでは固定価格買い取り制度は1970年代から実施され始め、現在国内では州レベルや地方自治体レベルで様々なプログラムが運営されている。とはいえ、固定価格買い取り制度はアメリカよりもドイツ、イタリア、フランス、スペイン、そしてカナダといった国々により大きな恩恵をもたらした。制度成功の肝となる要因は単純で、エネルギー生産コストを十分に反映しつつ同時にエネルギー提供者の利益にもなるような価格設定だ。これによって安定的かつ長期的な市場環境が用意され、民間の再生可能エネルギー投資家が前向きな態度をとるようになったわけだ。

もう一つ重要な政策群として、石油、石炭、そして天然ガスの消費量を直接的に削減するためのものがある。そこには既述の炭素上限制度（カーボン・キャップ）や炭素税も含まれる。少なくとも理論上では、炭素上限制度を使えば主要な環境汚染団体（例えば電力会社）の許容排出量に対して厳格な上限を設定できる。こうした措置は供給量を制限することによって石油、石炭、そして天然ガスの価格の引き上げにつながるだろう。他方で、炭素税は消費者を対象に化石燃料価格を直接的に引き上げ、こうした価格シグナルを使って化石燃料消費量を削減しようというねらいを持つ。化石燃料消費量を大幅に減らす上で十分に厳格な上限や高い税率が設定され、免除の対象が最小限に抑えられさえすれば、こうしたアプローチも効果を発揮するはずだ。また化石燃料価格の引き上げは省エネやクリーン再生可能エネルギーへの投資も促進し、こうした投資のための資金源にもなり得る。これについては後で論じたい。

（13）　feed-in tariffs　日本では２０１１年3月の福島第一原発事故を受けて再生可能エネルギー源への転換の必要性が高まり、２０１２年に再エネ固定価格買取制度（通称ＦＩＴ）が確立された。その後の研究では、当初の予測を上回る社会的負担、未稼働率、そして地域社会との軋轢などの問題が浮上し、２０１７年には改正ＦＩＴ法が施行された。参考文献：Yugo Tanaka, et al.,"Feed-in Tariff Pricing and Social Burden in Japan: Evaluating International Learning through a Policy Transfer Approach," *Social Sciences* 6: 4, 2017; Daoyuan Wen, et al.,"The effects of the new Feed-In Tariff Act for solar photovoltaic (PV) energy in the wake of the Fukushima accident in Japan," *Energy Policy* 156, doi: 10.1016/j.enpol.2021.112414.

以上の二つのアプローチにはいくつか大きな問題もある。炭素上限や炭素税を設けると負の分配効果[14]が発生するため、政策設計の段階でこれをうまく考慮に入れる必要がある。他の条件が同一だと仮定した場合、化石燃料価格の引き上げは高所得世帯よりも低所得世帯に大きな影響を与えるだろう。低所得層の方が、ガソリン代や家庭暖房燃料代、そして電気代が家計に占める割合が高いからだ。この問題をしっかりと解決するためには、炭素上限や炭素税からの収益の大部分を低所得世帯へ払い戻し、化石燃料価格の増額分を埋め合わせればよい[xxii]。

電力会社に対する再生可能エネルギー利用割合基準（ＲＰＳ）制度や、建造物および運搬用車両に対する省エネルギー基準は、炭素上限制度と同じような働きをする。つまり、ＲＰＳ制度では電力会社に対して再生可能エネルギー源からの発電量の最低基準が定められている。車両に対する省エネ基準では、ある車両群が適法となるために達成すべきガロン対マイル比率（またはこれに順ずる尺度）が設定される。同様の省エネ基準は建造物に対しても、建物の大きさ別のエネルギー消費の許容量という形で導入できるだろう。

しかしながら、炭素上限制度にも再生可能エネルギー基準や省エネ基準にもある重大な問題点がある――執行を徹底できないという問題だ。典型的な例を挙げると、上限制度を炭素排出権制度（通称「キャップ・アンド・トレード制度」）と組み合わせた場合、厳格な上限の遵守は、持続はおろか監督さえ困難になる。つまり、複雑な取引条件を利用することで上限などあっさり回避できてしまうわけだ。[xxiii] こうなってしまうと、誰にも見えないところで規制や基準が無視されるという状況が生まれる。例えば、ニューヨーク州はかなり控えめな再生可能エネルギー利用基準を自主的に設定し、２０１５年の段階で州内の電力の29％を再生可能エネルギーから発電するよう定めた。しかし、同州は期限内に再生可能エネルギー率を21％までにしか引き上げられなかった。すでに州内の電力の17％は数十年前から水力発電によって賄われてきたにも関わらずだ。アンドリュー・クオモ(15)知事も州の当局もこの失敗を公に認めていない。それどころか、未来に向けてさらに野心的なクリーンエネルギー目標を掲げている。要するに、この手の規制は厳格かつ徹底的に執行されなければ意味がないわけだ。[xxiv]

すでに論じたように、然るべき主体にうまく作用するような簡潔なアプローチとしては、再生可能エネルギー利用率目標として義務化された数字を達成できなかった場合は、電力会社のＣＥ

(14) distributional consequences　「総合効果」(aggregate consequences) と対比される経済的概念。例えば、日本を単位として考えた場合、炭素税を導入した際の総合効果は日本全体での化石燃料消費量の変化として記述されるのに対して、分配効果は日本国内の各所得層や地域など区域別の変化として記述される。所得格差や地域格差が環境政策によって受ける影響を測定するためには分配効果に注目する方が理に適っている。

(15) Andrew Cuomo　アメリカ第56代ニューヨーク州知事。民主党所属。２０１５年パリ協定の州内での遵守を約束した州からなる超党派組織「米国気候同盟」の共同設立者でもある。

0に懲役刑を言い渡すような仕組みが考えられる。

安価で手軽な金融の提供

この問題は、理論上は割と簡単に解決できるはずだ。クレジット・スイスの推計によると、2019年の世界金融資産総額は317兆ドル（3・487京円）だった。2021年から年間2・4兆ドル（264兆円）をクリーンエネルギー投資に出動させようという私の案は、資産プール全体の0・7%にしか相当しない。

とはいえ、この手の議論はやはり具体案に基づいて進めるのが良いだろう。話を明確にするためにも、クリーンエネルギーへの公共投資の大規模な資金源を四つ提案させてほしい。他にも有効なアプローチはあるはずだが、ここでは以下の四つの資金源を例示しよう。一つ目は炭素税だ。税収の75%は国民へ払い戻されるが、残りの25%はクリーンエネルギー投資事業に割り当てる。二つ目は世界各国の、特にアメリカの軍事予算からの資金移転だ。三つ目は「グリーン債」融資制度で、これはアメリカの連邦準備制度と欧州中央銀行が立ち上げる。四つ目は既存の化石燃料助成金の全面廃止だ。これも25%をクリーンエネルギー投資に割り当てる。以上だが、どの資金調達手段についても強固な推進論が展開できるだろう。とはいえ、各案には政治的に実施可能かどうかという問題も含め様々な弱点もある。各案を組み合わせて包括的な戦略を作り、案ごとの弱点が全体として最小化されるようなアプローチこそ最適だと言えるだろう。巻末にこの包括案の概要を示した表を収録した。

1．**炭素税（払戻し付）**。すでに述べたように、気候変動政策への働きかけの経路を二つ持つという点が炭素税の強みだ。つまり、炭素税は化石燃料価格を引き上げて消費を抑えつつ、同時に政府の新たな収入源にもなってくれる。炭素税収の一部はクリーンエネルギー投資事業の支援に割り当てればよいだろう。しかし、炭素税は低所得層や中所得層の人々に不当に大きな打撃を与える政策だ。こうした人々は電力や交通、そして家庭暖房用燃料の費用が家計に占める割合が高いからだ。ジェームズ・ボイスが提案するように、炭素税の影響をすべての人口区分に均等に割り振るには、均等配分払戻し制が最も簡潔な方法であるように思える。[xxv]

そこで以下の徴税払戻し制度を検討していただきたい。投資戦略の本格的実施の初年である2024年には、炭素1トン当たり20ドル（2200円）という低い税率から導入する。現時点での世界のCO_2排出量を考慮に入れると、ここからは約6250億ドル（68・75兆円）の税収が期待できる。ガソリン代に焦点を絞ってみると、炭素税が販売価格に与える影響を試算する際には、炭素税1ドル＝ガソリン1ガロン当たり1セントの値上がりという数字を目安にすると良い。そのため、炭素1トン当たり20ドルを開始税率とした場合、ガロン当たりのガソリン価格は約20セント（22円）値上がりすることになる。2020年現在、世界のガソリン販売価格の平均は約4ドル（440円）だ。もちろん、国ごとに平均価格は大きく異なる――ガソリンの流通手段や税制が異なるわけだからね。この平均価格はあくまで解説目的で参照しているだけだが、これに則して考えてみると、炭素1トン当たり20ドル（2200円）の炭素税は2020年の世界の平均販売価格を5％引き上げることになる。

さらにこの税収の25％をクリーンエネルギー投資に割り当てた場合、約1600億ドル（約17・6兆円）の投資事業資金が確保される計算になる。残りの75％は一般の人々に均等に払い戻されるわけだが、その総額は4650億ドル（51・15兆円）だ。つまり地球上の人々全員に一人当たり60ドル（6600円）が払い戻されるわけで、4人家族ならば240ドル（2万6400円）を受け取るわけだ。[xxvi]

2．軍事予算からの資金移転。 2018年の世界軍事支出は1・8兆ドル（198兆円）だった。[xxvii] 米軍予算は7000億ドル（77兆円）であり、世界総額の40％近くに相当した。軍事予算とはそもそも国民の安全保障に貢献すべきものだが、仮にもこの理念を真剣に実践するならば、各国の軍事予算の大部分（場合によっては全額）を気候安定化へ移転すべきだ。これは論理的にも倫理的にも堅固な根拠をもつ主張だと言える。とはいえ、政治的な実施可能性の範囲内に話をおさめるためにも、ここでは世界軍事支出の６％を気候安全保障の強化に割り当てるものとしよう。６％という資金移転率はすべての国々に均等に適応される。こうして得られる資金総額は１０００億ドル（11兆円）だ。

３．グリーン債による資金調達（連邦準備制度および欧州中央銀行主導）。　世界金融危機（２００７年～２００９年）とその後の大不況では、連邦準備制度は危機下でほぼ無制限の救済資金を民間金融市場向けに供給できるという点が証明された。ベター・マーケッツが２０１５年に発表した詳細な研究報告書『危機の費用』では、連邦準備制度は金融制度の崩壊の防止、経済の安定化、そして経済成長の誘引を目的に約12・２兆ドル（１３２０兆円）を投じたという結果が出ている。[lxviii] そこで、連邦準備制度がグリーン債という形で１５００億ドル（16・５兆円）の資金を用意するよう提案したい。これは２００７年～２００９年の金融危機下の救済策のわずか１・２％にしか満たない、実に微々たる金額だ。連準による援助資金を世界経済に注入するためには、既存の経路を普通に利用すればよい。つまり、世界銀行などの各種公共機関が長期かつゼロ金利のグリーン債を発行すればよい。これを連準が購入すれば、発行者である各種公共機関は世界クリーンエネルギー計画に含まれるすべての事業に対して資金を確保できるようになる。

本書の執筆時点では、連邦準備制度における政策議論に以上のような枠組みは持ち込まれていない。他方で、欧州中央銀行ではグリーン債が重要な分野として注目を浴びている。2019年12月の『フィナンシャル・タイムズ』紙の報道によると、当時の新任の欧州中央銀行総裁クリスティーヌ・ラガルド[16]はこの案に迅速に取り組んでいた。「ラガルドは……中央銀行の金融政策戦略の検討会に気候変動関連事項を盛り込むよう強く求めている。中央銀行は市場における金融条件に最も大きな影響を与えうる主体なので、ヨーロッパの気候変動対策を形成する投資決定も大きく左右することになるだろう[xxix]」。

以上を考慮に入れると、欧州中央銀行もまた連準からの提供金額と足並みを揃えつつ、グリーン債へ1500億ドル（16・5兆円）の資金提供を行うだろうという見方が理に適っている。

4．化石燃料助成金を廃止し、資金の25%をクリーンエネルギー投資に割り当てる。 最近の推計によると、消費者向けの化石燃料直接助成金（化石燃料エネルギーの供給価格と消費者価格の差）の2015年の世界総額は約3兆ドル（330兆円）であり、世界GDPの約0・4%に相当する[xxx]。この資金を全額クリーンエネルギーへの公共投資の支援に当てれば、2024年までのクリーンエネルギー投資推計総額である2・6兆ドル（286兆円）を余裕で賄える。こうして捻出された3兆ドル（330兆円）は、1・3兆ドルという世界公共投資レベルを保つために必要な金額の2倍以上でもある。しかしながら、こうした化石燃料助成金の大半は、エネルギー消費者全員を対象とした一般的支援という形で利用される。そのため、化石燃料企業への恩恵は言うまでもないとしても、低所得層や中所得層の世帯もまた助成金から大きな恩恵を受けているわけだ。世界の所得配分という観点からは、助成金の廃止は非常に逆進的な結果を伴うことが予想される。ちょうど炭素税を相応の払戻し制度無しで実施するのと一緒だ。低所得層の家庭への支援を継続するためにも、化石燃料助成金という形でこうした家庭に現在割り当てられている資金の大半は、クリーンエネルギーの消費者価格の引き下げや低所得層の家庭への直接支払いという形で再活用すべきだ。

炭素税１６００億ドル（17・６兆円）、軍事予算移転１０００億ドル（11兆円）、そして中央銀行主導のグリーン債券プログラム３０００億ドル（33兆円）から計５６００億ドル（61・６兆円）が調達できたわけだが、ここへさらに化石燃料助成金総額3兆ドルの25％に当たる７５００

(16)　Christine Lagarde　欧州中央銀行総裁。国際通貨基金（ＩＭＦ）専務理事、フランス経済・財務大臣などを歴任した。２００９年以降悪化を続けていたユーロ圏債務危機に対しては「ＩＭＦによる融資プログラムは……協定に反する」として、緊縮財政路線を堅持した。ただし２０１５年ギリシャ債務危機ではギリシャ政府の債務減免の必要性を非公式に認める場面もあったが、公にはＩＭＦが緊縮路線から逸脱することはなかった。

億ドル（82・5兆円）を加えた金額がクリーンエネルギー投資資金へと流れ込む。2024年までに必要な公共投資と民間投資の総額2・6兆ドル（286兆円）のうち、公共投資資金として必要な1・3兆ドル（143兆円）の部分を賄うための資金調達がこうして達成されるわけだ。

特定の投資計画への金融資源の活用

多目的の開発銀行も特定の目的をもつグリーン開発銀行も、すでにクリーンエネルギー投資への資金提供を広く実践している。民間部門においても十分なクリーンエネルギー投資を確保するためには、現在行われている努力を基盤としつつこれを上手（うま）く発展させていく必要がある。

ドイツの例は特に示唆的だ。クリーンエネルギー経済の開発という点では大規模先進国経済の中でも特に大きな成功を収めてきたからだ。ドイツの公有開発銀行であるドイツ復興金融公庫（ＫｆＷ）はこの成功物語にとって欠かせない存在だった。ステファニー・グリフィス＝ジョーンズ[17]は、ドイツ全国のグリーン変革（再生可能エネルギーや省エネ投資を含む）に対するＫｆＷの影響力を分析した。この分析によると、ＫｆＷはドイツのグリーン投資への資金提供のおよそ3分の1を担っていた。ＫｆＷは省エネやクリーン再エネを含む政策構想を有効な投資事業へと現実化させていく過程で大きな役割を果たしたわけだ。またＫｆＷはドイツ以外のヨーロッパ諸国や発展途上国におけるグリーンエネルギー事業にもかなり積極的に資金を提供している。グリフィス＝ジョーンズはこう書いている。「政府が明確な政策方針を示し、開発銀行がこの方針に沿って目標を定めたおかげで、ドイツのグリーンインフラ事業は多大な恩恵を受けることができた。これは新興国や発展途上国にも模倣可能な成果だ[xxxi]」。

さらにグリフィス＝ジョーンズはＫｆＷが現在提供している融資部門の融資条件をすべて紹介してもいる。そこにはＫｆＷの融資事業全般における多種多様な大規模助成金が含まれる。特に発展途上国におけるクリーンエネルギー投資への資金提供に関しては、対象社会の内部で最も恵まれない人口層に投資の恩恵が十全に行き渡るようにするのが肝心だ。別の研究でグリフィス＝ジョーンズらは、有効な戦略の実例としてクリーン再エネ電力への低価格でのアクセス拡大を挙げている[xxxii]。同時にこの研究では、民間事業が（化石燃料エネルギーを含む）他の成熟した投資分野ほどの利益をクリーンエネルギー投資に期待するのは現実的ではないという点も強調されている。クリーンエネルギー投資は借り手にとって手頃な融資条件で提供されるべきだが、そのため

（17）Stephany Griffith-Jones　アメリカの経済学者。コロンビア大学「Initiative for Public Dialogue」金融市場部長。専門は国際金融と国際開発。世界銀行、欧州委員会、米州開発銀行、ＵＮＩＣＥＦなどを含む国際組織の上席顧問を歴任した。20冊以上の書籍に加え多くの論文や随筆を著している。

には明確な社会的基準に従って融資戦略を展開するような公共投資銀行の存在が必須となる。

お金の出所と行き先

グローバル・グリーンニューディール構想に基本的な公正性の基準を組み込むためにも、お金の出所と行き先という問題にはしっかりと答える必要がある。まずは以下の3点を改めて確認しておこう。

1。振り返ってみると、大気圏を温室効果ガスで満たし気候変動を引き起こした責任はまずもってアメリカにあり、続いてカナダ、西欧、ヨーロッパ、日本、そしてオーストラリアにある。よって、グローバル・グリーンニューディールへの資金を提供する責任もまたこうした国々にある。

2。過去から現在へと話を進めよう。現在、国や地域を問わず、高所得層の人々はその他の人々よりもはるかに大きなカーボンフットプリント[18]を残している。2015年にオックスファムが発表した研究が示すように、世界人口の富裕層上位10％の平均カーボンフットプリントは、貧困層下位10％のそれの60倍にものぼる。世界の富裕層上位１％にいたっては、貧困層下位10％に比べ実に１７５倍までにも排出量が高い[xxxiii]。

3。グローバル・グリーンニューディールの初期投資コストは決して軽視できるようなものではなく、年間世界ＧＤＰの約２・５％に相当し、既述のように２０２４年には約２・６兆ドル（２８６兆円）にのぼる。しかしながら、こうした投資は時間と共に自ずと回収されていくだろう。エネルギー効率を大幅に向上し、十分な量のクリーン再生可能エネルギーを化石燃料や原子力と同じもしくはこれよりも低い平均価格（しかも将来的にさらに下がる見込みの価格）で提供できるようになるからだ。

以上の全体的枠組みを考慮に入れつつ、懸案の資金調達計画がどれくらい世界的公正性という基

(18)　carbon footprint　物品やサービスの生産・消費過程で排出される温室効果ガスをＣＯ$_2$相当量として表したもの。個人の排出量を計算するための便利な「Carbon Footprint Calculator」（カーボンフットプリント計算機）もネット上に存在する。２０１９年の日本の一人当たりの平均カーボンフットプリントは８・７７トンだった。同年の世界平均は４・７７トン。排出量実質ゼロを達成するための許容上限は一人当たり約２トンと言われている。参考文献：Pierre Friedlingstein, et al., "Global Carbon Budget 2020," *Earth System Science Data*, 12: 4, 2020.

準に適うものなのか検討してみよう。
まず、先ほどの簡潔な払戻し付税制案によると、地球上のすべての人々が一人当たり60ドル（6600円）の払戻しを受けることになる。アメリカの平均的な住民にしてみれば、60ドルは所得のたった0・1％の増額にしかならない。対して、例えばケニアのような国の平均的な住民ならば、60ドルは所得の約6％の増額に相当する。実践的な問題として、各国政府はそれぞれ自国の住民たちにお金を配分する方法をひねり出す必要がある。公正な世界規模の炭素税制度を実施する方法はいくつも存在する。[xxxiv]
世界の軍事支出の6％を、各国の現時点での軍事予算の大きさに比例する形で移転した場合、やはり平等性の高い結果が得られるだろう。なぜなら、アメリカを筆頭とする高所得国の政府支出の方が中所得国や低所得国のそれよりも圧倒的に多いからだ。
グリーン債による資金調達案に関しては、特に誰かの財布が打撃を受けるような案ではない。むしろ、これは世界の二大銀行が必要に応じて事実上の通貨発行をするという形をとる。これは2007年から2009年までの金融危機において行われたことと同じだ。とはいえ、ウォール街や世界金融エリートを救済するために中央銀行が湯水のごとく放出した巨額に比べれば、今回の案における通貨発行の規模ははるかに慎ましい。断っておくが、何もアメリカ連準や欧州中央銀行はこの政策に――専門的には「負債の貨幣化[19]」と呼ばれる政策に――依拠し続けるべきだと言いたいのではない。他方で、これは十分に正当な選択肢であり、二大中央銀行がもつ手段であり、危機下においては限度を守りつつ実践されるべきものだという点も明確にしておく必要がある。一つはっきりさせておきたいが、資金の調達は高所得国の中央銀行が担当するが、資金の配分は公正性という基準に従って世界的に行われる。こうすることで、地球上のすべての地域において大規模なクリーンエネルギー事業を後押しできるようになる。

低所得国を始めすべての地域において、公共投資銀行は各種投資事業を前に進めるための最重要な経路という役割を果たすだろう。公共投資銀行は公共と民間の両部門において、公民混合事業も含め各種クリーンエネルギー計画に資金を提供する。公有と民有という2つの所有形態の混ぜ方は国や事業によって様々であり、一概にこうとは言えない。この事実を無視して独断的な態度を取っても意味が無い。とはいえ、状況を問わず従うべき基本原理も存在する――グリフィス=ジョーンズらが強調した原理、新自由主義時代の40年間において許されていたような法外な利益率を民間事業がこれからも維持できるなどと考えるのは不合理だとする原理だ。民間企業がもしクリーンエネルギー投資を支えてもらうために巨額の公的助成金を受け取るならば、利潤率に

(19)　debt monetization　日本では一般的に「財政ファイナンス」と呼ばれる政策だが、誤解を招きうる訳語。「政府の負債（中央銀行からの借金）という形で公共支出のための貨幣を調達する」という意味なので「負債の貨幣化」が正確だと思われる。

関しても一定の限度を甘受すべきだろう。このような規制の原理は、例えばアメリカの電力部門においてすでに常識化されている。他の分野でも簡単に模倣できるはずだ。

化石燃料への依存に終止符を打った場合、大量の雇用が失われるのではないかと危惧する人もたくさんいます。クリーンエネルギー資源への転換は雇用創出や経済成長の可能性を本当に伴うものなのでしょうか。

ポーリン　グリーン経済の構築が雇用創出につながるという考えは自明なはずだ。もちろん、これは往々にして正反対の扱いを——つまり雇用喪失の引き金であるかのような扱いを——受けている。しかしながら、グリーン経済の構築は読んで字のごとく「構築」を伴う。エネルギー効率を劇的に向上し、再生可能エネルギー供給量をやはり劇的に増やすための大規模な新規投資が行われるわけだからね。この手の支出にはほぼ必ず雇用創出が付随するものだ。では、そもそもグリーン経済の構築にはどれくらいの量の雇用創出が伴うのか。また、化石燃料インフラの縮小と最終的な全廃にはどれほどの雇用喪失が伴うのか。これこそが本当の問題だ。

実際のところ、既存の化石燃料インフラを維持するよりもクリーンエネルギーに投資をした方が、発展レベルを問わずすべての国々においてより多くの雇用創出が期待できる。他の同僚たちと私が共同で行った研究では、これがブラジル、中国、ドイツ、ギリシャ、インド、インドネシア、プエルトリコ、南アフリカ、韓国、スペイン、そしてアメリカにおいて期待できるという結果が出た。支出に対する雇用創出増加率は、ブラジルの75％からインドネシアの350％まで様々な値が得られた。例えばインドに注目してみると、シュヴィク・チャクラボルティー[20]と私の推計では、GDPの2％というペースで20年間クリーンエネルギー投資を毎年増やし続けた場合、平均で年間約1300万件の純雇用創出が見込める。これは現在のインド経済全体における雇用数の約3％の増加に相当する。これは国内の化石燃料産業の縮小による雇用喪失を勘定に入れた上での結果だ。この点は特筆に価する。

とはいえ、クリーンエネルギー投資から生まれた雇用が労働者にとって十分な待遇を伴う保証はどこにもない。また労働環境の改善や労働組合の交渉力の拡大、あるいは女性や少数派を含む

(20) Shouvik Chakraborty　マサチューセッツ大学アマースト校政治経済研究所フェロー。「インドにおけるエネルギーの権利と緑の経済成長」研究プロジェクトに取り組んでいる。また一次産品と工業製品の国際フローを追いつつ、現代における「プレビッシュ＝シンガー命題」（第4章訳注1参照）の経験的な評価にも取り組んでいる。

低代表グループ[21]に対する雇用差別の減少などがこうした新規雇用によって進むとも限らない。それでもなお、新規投資がしっかりと実施されれば、雇用の質の向上、労働組合の拡大、そして低代表グループへの雇用機会の拡充といった諸分野における人々の政治参加力も上がるものだ。

同時に、石油、石炭、そして天然ガスの消費に生計を頼っているような労働者や地域社会は世界各地でクリーンエネルギー移行から損失を被るだろう。化石燃料産業の縮小と廃止から打撃を受けるような労働者や地域社会に対して「公正な移行」政策を用意できるかどうかは、地球の運命を左右する問題だ。これは少しばかりの誇張を含むとはいえ、ほぼ現実そのものを言い表している。「公正な移行」政策は公平性という面では実施して当然の政策だ。その上で、政治戦略という面からもこうした政策は必要となる。変革支援策を大規模に実施しない限り、クリーンエネルギー投資計画がもたらす産業縮小を前にして、労働者や地域社会は自分たちの地域や生計を守るために抗戦するだろう。これは理の当然で、まったく自然なことだが、こういう展開になってしまうと、効果的な気候安定化政策の推進が致命的な遅れをとってしまう。

アメリカ経済に関して言えば、ブライアン・カラシ[22]と私の推計では、「公正な移行」の実施予算は高めに見積もっても年間6億ドル（660億円）（2018年連邦政府予算の0・2%未満）という比較的小さい金額だった。[xxiv] この規模の資金があれば、以下の二つの分野への支援を充実させられるようになる。第一に、産業収縮に直面する労働者の所得、職業訓練、そして移住への支援。第二に、該当産業の労働者の年金の保証だ。似たような一手は、他の国でも各国に適した形で実施する必要がある。

公正な移行を議論するにあたって押さえておきたいもう一つの分野として、化石燃料産業に現在深く依拠している地域社会への再投資やその他の包括的支援が挙げられる。こうした地域社会は化石燃料産業の衰退を前にして実に深刻な課題に直面させられているからだ。一つわかりやすい新事業例として、炭鉱の廃鉱や石油・ガス生産所解体後の跡地の洗浄と埋め立てがある。土地の再活用も然りだ。その有名な成功例として、かつてドイツの石炭、鉄、そして化学諸産業の中心地だったルール渓谷が挙げられる。1990年代以降、ルール地方では新興クリーンエネル

(21)　underrepresented groups　「過小評価グループ」とも訳される。ある母集団全体に占める割合に対して過度に低い割合でしか代表されていないグループの総称。例えば、内閣府男女共同参画局の『平成28年版　男女共同参画白書』によると、日本における2016年度の大学進学率は短大も含めた場合男女共にほぼ同じ値だったが、大学院進学率は男性の14・7%に対して女性が5・9%となっており、大学進学者を母集団とした場合、大学院進学者では女性が男性に比べ半分以下という低い割合でしか代表されていないということになる。

(22)　Brian Callaci　アメリカの経済学者、「データ社会研究所」フェロー。2019年にマサチューセッツ大学アマースト校から経済学博士号を取得した。現代における企業形態の変化がもつ法的・経済的含意や、これが労働法や反トラスト法に対して持つ意味について研究している。

ギー産業を開発するための産業政策が実施されてきた。ルール地方の再活用イニシアチブの重要な例として、ルール石炭株式会社（ＲＡＧ）を挙げないわけにはいかないだろう。ＲＡＧはドイツの石炭会社であり、同社所有のプロスパー・ハニエル炭鉱を２００メガワット規模の揚水式水力発電用貯水池に改造している。改造後の施設は「巨大な電池」のような役割を果たし、ノルトライン＝ヴェストファーレン州の住宅40万戸以上へ電力を供給できるほどの生産力をもつ予定だ。[xxxvi]

温暖化がもたらす甚大な被害から地球を守る上で、今回のグリーンニューディール構想に代わる案として、無駄[23]や継続的成長というものを乗り越えて新たな経済へと移行しようという考えもあります。こうした思想は「脱成長」運動へと結晶しました。そこでポーリンさんに質問です。脱成長は現実的でしょうか。また、そもそも脱成長は望ましいものなのでしょうか。

ポーリン　私はもう何年も脱成長派と議論を重ねてきた。思うに、議論の根底にある問題意識は割りと単純なものだ。それでも、私はこれまで脱成長派の人たちを（一部の例外を除いて）うまく説得できずにきている。以下では改めてもう一度説得を試みたいと思う。

まず、私は脱成長派の研究者や活動家のほぼ全員に対して深い尊敬の念を抱いており、この人たちとほぼまったく同じ価値観や問題意識を共有している。[xxvi] 際限なき経済成長は世帯・事業・政府向けの物品やサービスの供給量を増やす過程で環境に深刻な打撃を与えるものだという考えにも同意する。また、既存の世界資本主義経済における生産消費活動の大半は無駄であり、特に世界各地の高所得者の消費活動の大半についてこれが言えるという主張もその通りだと思う。さらに、成長という経済的概念には経済拡大に伴うコストや利益の分配への参照が一切含まれていないという考えも明らかに正しい。国内総生産（ＧＤＰ）は経済成長を測るための統計的な道具だが、消費財に加え環境バッズ[24]の産出をうまく組み込めていないという点も反論の余地が無い。ＧＤＰには無賃労働も含まれていないが、無賃労働の大半は女性によって担われている。また、一人当たりＧＤＰは所得や財産の分配に関して一切何も教えてくれない。

以上のような合意点を確認した上で言うが、気候変動の問題に話を限定すると、脱成長からは

(23)　waste　経済成長を実現するためだけに大量の資源を搾取し廃棄している現状を表現する言葉。ポーリンの答えも考慮に入れるとより広義な「無駄」が適切だと判断したが、「廃棄」や「廃棄物」の意味も当然含まれている。

(24)　environmental bads　「バッズ」は「負の副産物」を意味する。廃棄物や汚染物質など、経済活動から生じる環境破壊がＧＤＰの計算式に含まれていないため、ＧＤＰの増加だけを目指して経済成長を続けた場合は環境破壊が深刻化してしまう可能性が高いという考えも参照している。

安定化のための現実的な枠組みはおろかそれに順ずるものすら得られない。この点を見て取るために、簡単な計算をしてみよう。ＩＰＣＣが明らかにしているように、世界のCO_2排出量はこの先30年以内に現在の３３０億トンからゼロへと減少する必要がある。そこで、排出量削減計画として脱成長的アプローチを実施し、世界ＧＤＰが30年間で10％縮小したとしよう。これは２００７年から２００９年の金融危機と大不況の際に起こったＧＤＰ減少量の実に4倍に相当する。CO_2排出量への影響について言えば、10％のＧＤＰ縮小は、それ単独で見た場合は排出量の10％減に相当する。３３０億トンが３００億トンに減るわけだ。つまり、世界恐慌に匹敵する現象を意図的に引き起こしたにも関わらず、世界経済は排出量ゼロという目標達成にほど遠い状況に置かれる。さらに言うと、世界規模でのＧＤＰ縮小は労働者や貧困層に対して大きな雇用喪失や生活水準低下を引き起こす。過去の大不況の際には失業者が３０００万人以上も増えた。２００７年から２００９年までの2倍ものペースで世界ＧＤＰを減少させた場合、深刻な大量失業をどう回避すれば良いのか。この問題に対して脱成長派は説得力のある答えを出せていない。

ここから明らかなように、脱成長的アプローチを採用した場合でさえも、排出量削減の原動力として最も強力な要素はＧＤＰの縮小ではなく、省エネや再生可能エネルギー投資の大幅な成長と、それに伴う石油、石炭、そして天然ガスの生産と消費の大幅な削減だ。（会計上、前者はＧＤＰの増加に、後者はＧＤＰの減少に相当する）。言い換えるなら、世界の化石燃料産業は２０

５０年までにゼロへと「脱成長」する必要がある一方、クリーンエネルギー産業は大幅な拡大をする必要があるわけだ。

日本は脱成長が抱える根本問題を示す好例だ。一人当たり平均所得こそ高水準を保っているものの、日本には低成長経済の中で生まれ育った世代が存在するほどだ。ハーマン・デイリー(25)は脱成長運動の知的先駆者として存在感のある人物だが、彼も日本の状況について「日本は着々と定常経済への変貌を進めている。日本ではこの現象に別の名前がついているのかもしれないが」と述べている。[iiii] ここでデイリーが念頭に置いているのは、１９９６年から２０１５年までの日本のＧＤＰ成長率であり、これは年間平均０・７％という弱々しい数値になっている。１９６６年から１９９５年までの30年間の平均成長率４・８％と比べてみてほしい。それでもなお、２０１８年現在、日本は主要経済の中でも所得上位層に位置しており、一人当たりＧＤＰの平均は約４万ドル（４４０万円）だった。

(25) Herman Daly　メリーランド大学公共政策スクール名誉教授。世界銀行上席エコノミストなどを歴任した。生態経済学の世界的第一人者として知られており、ＧＤＰに代わる経済指標として「持続可能な経済福祉の指標」(Index for Sustainable Economic Welfare, ISEW）を開発し、また人口と物質的富が一定量を保つ「定常経済」(steady-state economy）や人間の幸福が伴わない経済成長としての「不経済成長」(uneconomic growth）などの新概念を提唱した。

25年間ほぼ成長できずにきた日本だが、CO_2排出量は相変わらず世界でもトップレベルで、2017年現在の一人当たり排出量は8・8トンとなっている。そもそも日本の一人当たり排出量は1990年代からほんの僅かな値しか減少していない。理由は単純だ。2017年現在、日本のエネルギー消費総量の89%は石油、石炭、そして天然ガスの燃焼から来ているからだ。日本のエネルギー消費総量に水力が占める割合は2%であり、太陽光と風力がさらに2%を占めている[xxxix]。

よって、「着々と定常経済への変貌を進めている」にも関わらず、日本は現実的な気候安定化に向かってほぼまったく前進できていない。少なくとも公式発表では、日本は再生可能エネルギー部門を急速に拡大して排出量を一気に削減するということになっているのだが……。規模や成長率を問わず、他のすべての経済圏と同じように日本もまたクリーン再生可能エネルギー部門の急速拡大という約束をしっかりと守るべきであり、同時に石油、石炭、そして天然ガスへの依存度を「脱成長」してゼロへともっていく必要がある。

チョムスキーさんは気候変動問題に対する「脱成長」という代案についてどうお考えですか。

チョムスキー　持続可能なエネルギーへの転換には成長が必要だ。太陽光パネルや風力発電機の建設と設置、住宅の耐候化、効率的な大型交通システムの確立の一環としての大規模インフラ事業などが関わってくるからだ。そのため「成長は悪だ」と単純に言い切ることはできない。状況によって善悪は様々だ。成長の内容にもよる。例えば、エネルギー諸産業、捕食的な大型金融機関、肥大しきっている危険な軍事体制など多くの分野に対しては誰もが（急速な）「脱成長」を望むだろう。生きやすい社会のデザインについて考えるべきだ——ちょうどここまでロバートがしてきたような形でね。そこには成長も脱成長も含まれるし、たくさんの重要な問題が絡んでいる。バランスの取り方は、個々の選択や決定の積み重ねによって決まるだろう。

チョムスキーさんに質問です。発展途上国が気候変動の被害防止策を実施するにあたって、富裕国が巨額の資金を提供することになったと仮定しましょう。その場合、富裕国側が発展途上国側へ政治経済的な要求を新たに突きつける可能性はあるでしょうか。そこから世界資本主義経済の中心諸国と周縁諸国の間に新たな帝国主義的関係が生まれてしまうことはあり得ますか。また、もしこういう展開になった場合、発展途上諸国の内部からグローバル・グリーンニューディールに対して政治的な抵抗運動が出てくることも考えられるでしょうか。

チョムスキー　この質問の前提条件の成立に対して、私はあなたほど強い自信はを持つことはできていない。というのも、すでに述べたように、共和党一派は貧困諸国への援助に断固反対しており、またアメリカの人々に対しても、富裕層の私腹を肥やす権利を侵害した罪への報復として、残酷な罰を与えようと全力を挙げている。[xl] それにアメリカ国内外では、これほど残酷ではない層の人々の間でもさきの前提の実現への支持はほとんど広がっていない。そもそもアメリカの人々は海外援助について奇妙な誤解をしている。世論調査を見れば分かるが、人々の海外支援予想額はものすごく高く、適正金額を聞かれると実際には微々たるものでしかない海外支援金額よりも高い値を提示する。[26] さきの海外援助策は重要度が高く、道徳的な義務でもあるが、世論調査の結果を見る限り、これの実現に向けて一般市民を組織していくことは十分に可能だと言えるだろう。援助国側の市民運動がもつ意識と決意と強度こそが政策の成否を決定する。質問にあったようなシナリオを回避するための突破口もここにある。いずれにしても、こうした展開には活動家が向き合うべき大きな課題がたくさん含まれている。

海外援助は急務だが、十分な金額が提供される段階にまで来た場合、富裕国の為政者たちは被援助国側を支配下に置くために様々な条件を課そうとするだろう——ちょうど国際通貨基金（IMF）がしてきたようにね。ここでもまた、さきほどと同じ問題が焦点となる。つまり、このような支配計画を打ち消しつつ、持続可能なエネルギー政策への移行という難関を突破するために十分な援助が保証されるようになるためには、市民運動の意識や規模がある高みへと到達する必要がある。他にも考えるべきことは色々ある。

ポーリンさんに質問です。あなたも含め、グリーンニューディール派の人たちは「完全雇用」経済について語ることが多いですが、グローバル・グリーンニューディールの推進と完全雇用経済への支持の間にはどのような関係があるのでしょうか。

ポーリン　完全雇用という目標はグローバル・グリーンニューディールと調和しこれを後押しするものとして理解すべきだ。重要な相互関係をいくつか見て行こう。

---

(26)　Polls show that they vastly overestimate its scale…　この傾向は2013年カイザー財団調査、2016年 YouGov 調査、そして2017年ラスムセン調査などを含む多数の世論調査に表れている。日本では一般の人々の政府開発援助（ODA）予想額に関するデータはアメリカほど豊富ではないが、ODAへの支持は高い。例えば内閣府による令和2年度「外交に関する世論調査」では回答者の約85％が現状維持またはさらなるODAを支持し、その理由としても「災害や感染症など世界的な課題に対して、各国が協力して助け合う必要があるから」が約60％だった。

完全雇用経済とは、要するに求職者全員に十分な量の優良雇用が用意されているような経済を指す。個人の目線に立ってみると、就職できるかどうかは大切な問題であり、もし就職が可能な場合にも、報酬や手当が適切かどうか、職場の環境が清潔かつ安全かどうか、そして自分や同僚たちの扱いが公平かどうかといった問題は万人が関心を持つものだろう。また、経済全体の健全性という観点からも、雇用機会の充実は必須だ。雇用が伸びれば経済内の購買力の総量も上がる。人々の財布により多くのお金が入るわけだからね。こうして市場が活性化し、中小企業にも大企業にもより多くの商機が生まれ、公共事業も民間事業も投資を拡大する強力な動機を得る。そこにはグリーン経済の構築に必要な投資も当然含まれる。経済内に優良雇用が充実すれば、個人の機会も充実し、平等性が推進されるだろう。自分や家族のために自立した生活を勝ち取るチャンスを万人が得るわけだからね。このため、完全雇用は社会的・経済的平等性を培う上で最も有効な政策だと言える。

1930年代の大恐慌、元祖ニューディール、そして第二次世界大戦を経た後、世界の経済政策は完全雇用の実現を主眼とするようになった。もちろん、この目標への傾倒の度合いは、国や政権の種類によって大幅に異なってもいた。それでも、完全雇用が経済政策の中心ではなくなり、代わりにウォール街や世界資本家たちにとって都合の良い枠組みが台頭するまでには、1970年代の高インフレーション期とその後の新自由主義革命――1979年にマーガレット・サッチャーがイギリス首相になり、１９８０年にロナルド・レーガンがアメリカ大統領になったときに達成された革命――が起こるのを待たなければならなかった。この転換に伴うマクロ経済政策は、完全雇用ではなく低インフレーション率の維持を主眼とし、福祉国家制度を含む公共部門を縮小し、労働者にとって有利に働く労働法を弱体化・廃止し、国際貿易への障壁を取り払い、あの悪名高い金融市場の規制緩和を進めた。特に新自由主義者による金融市場規制緩和への専心は、２００７年から２００９年までのウォール街崩壊とその後の大不況の直接の原因だったと言っても過言ではない。

新自由主義革命は、完全雇用に関するある本質的事実をこれでもかというほど鮮明に証明してみせた。それは１８６７年頃にマルクスが『資本論　第一巻』の有名な章、「労働予備軍」と呼ばれるものについて論じた章で初めて指摘した事実でもある。すなわち、資本に対する労働者の交渉力が高まってしまうからこそ、資本家は完全雇用に反対するという事実だ。労働予備軍から人々が抜けてゆき、労働者の交渉力が強まると、賃金が上がる可能性が高い。そうなってしまうと、利益率が低くなってしまう。

なるほど、大不況以後の10年間でアメリカの公式失業率は急速に下がったかもしれない（他の高所得国ではこれほど急速な低下は起こっていない）。大不況のピーク時の10％に比べると、２０２０年3月のアメリカの公式失業率はたった３・５％だった。[xli] しかしながら、アメリカのこの低失業率期においてさえも、労働者の交渉力はほんのわずかしか強化されなかった。アメリカの標準よりもはるかに低い賃金で働く人々による世界規模の労働予備軍が形成されてきた一方で、アメリカの労働運動が数十年間にもおよぶ政治的な打撃を受け続けた結果すっかり弱まってしまったからだ。

完全雇用政策は縁の下の力持ちであり、現実的なグローバル・グリーンニューディールを色々な面で支えてくれるだろう。先述のとおり、これはクリーンエネルギー経済の構築に必要な投資を包括的に後押しするような環境を整えてくれる上、化石燃料産業に頼っている労働者や地域社会のための「公正な移行」をうまく実施する上でも欠かせない。国を問わず、経済の完全雇用化こそ解職された労働者を守る上で最も有効な方法だからだ。完全雇用経済においては失業者の負担が大幅に軽減される――解職の理由を問わず、新たな優良雇用を無理なく見つけられるようになるからだ。さらに、解職された労働者へ適切な金銭的援助を行う際にも、完全雇用経済ならば納税者の負担額を大幅に減らすことができる。また、新自由主義者による各種の緊縮計画に比べると、完全雇用経済の方が新規投資を活性化できる可能性が高い。化石燃料系雇用の喪失によって大打撃を受けた地域社会において、クリーンエネルギーへの新規投資に加えその他の分野への投資も促進できるわけだ。

すでに見てきたように、グローバル・グリーンニューディール構想の下では、クリーンエネルギー経済の構築のための投資こそが雇用創出の原動力となる。とはいえ、ＧＤＰの約2・5%という規模で世界的にクリーンエネルギー投資を展開し、それによって雇用を創出したとしても、それだけでは完全雇用を実現し維持することはできない。この点はしっかりと認める必要がある。上記のグリーンニューディール投資はほとんどの国々で公式失業率を2%~3%ほど下げるはずだ。これはかなり大きい。例えば2020年3月現在のスペインの失業率は14%から11%に、また南アフリカの失業率は29%から26%に下がるわけだからね。[xlii] もちろん、既存の新自由主義政策の覇権を打ち崩し、完全雇用の実現に向けて真剣に動いていくためには、各国で強力な政策介入を追加で進めていく必要がある。

欧州連合（ＥＵ）は「欧州グリーンディール」という野心的な計画を始動させ、27カ国から成るこの地域を高排出経済から排出量ゼロ経済へ変革しようとしています。ヨーロッパ各国経済の各部を全面的に見直し、温室効果ガス排出量を1990年比で2030年までに55%削減し、2050年までに排出量実質ゼロを目指すという計画です。欧州委員会委員長ウルズラ・フォン・デア・ライエン[27]はこの計画を「ヨーロッパ版月面着陸計画に匹敵する出来事」と呼びました。しかしながら、本計画は多くの環境団体や気候変動活動家たちから批判を浴びています。スウェーデンの若き活動家グレタ・トゥンベリ(28)も批判をしていました。ポーリンさん、今回の欧州グリーンディール計画への評価とグローバル・グリーンニューディール構想との比較についてお聞かせいただけますか。

ポーリン　ねらいだけ見れば、欧州グリーンディールはとても優れている。温室効果ガスを2030年までに55％削減し、2050年までに実質ゼロを達成するという目標は、IPCCの排出量削減目標と完全に整合するからだ。EU諸国はIPCC目標へ公式賛同したわけだが、これは世界的にも唯一の例であり、他の国々とは一線を画している。また欧州グリーンディールは、現時点で化石燃料産業に頼っている労働者や地域社会のための「公正な移行」政策を強調してもいる。化石燃料諸企業がこの先20年から30年の間で廃業へと向かうにつれて、こうした労働者や地域社会に甚大な被害が及ぶのを防ぐためにも、こうした移行政策は重要だ。

他方で、書面上の高尚なレトリックや約束の向こう側まで視野を広げてみると、欧州グリーンディールがいかに欠陥の多い計画であるかが明らかになる。特に政治においてはそうだが、目標達成への意志の強さは、そこに投じられる資金の金額に最もはっきりと表れるものだ。この基準に則ると、欧州グリーンディールは真剣な計画であるとは言えない。現在、本計画には2021

年から２０３０年の期間を対象として総額1兆ユーロ（１３０兆円）の予算がついている。そこにはクリーンエネルギー投資や「公正な移行」制度の実施も含まれている。ということは、平均すると年間約１０００億ユーロ（１３兆円）の総支出となるわけだが、これは２０２１年から２０３０年までのＥＵの年間ＧＤＰの約０・５％でしかない。財源の約半分はＥＵの予算から賄われ、残りの半分は各国政府や民間投資からの追加資金を必要とする。

(27)　Ursula von der Leyen　第13代欧州委員会委員長。ドイツ国防大臣をはじめ数々の重役ポストを歴任した。「欧州グリーンディール」は委員長への正式就任前からライエンが提唱していた構想であり、２０２０年4月3日には「欧州気候法」が提案された。これは排出量削減目標の達成をＥＵ加盟諸国に義務付ける初の法律的枠組みとして期待されていたが、欧州委員会における合意形成過程で内容が骨抜きにされているという批判もある。参考資料：European Commission, "A European Green Deal: Striving to be the first climate-neutral continent," URL: https://ec.europa.eu/info/strategy/priorities-2019-2024/european-green-deal_en

(28)　Greta Thunberg　スウェーデンの気候活動家。２０１８年8月から毎週金曜日に学校を休んでスウェーデン国会議事堂の前に座り込みをし、ＳＮＳにその活動をアップしたところ、世界各国の気候活動家がこれに倣って同じ活動を開始し、「Fridays For Future」が立ち上がった。また２０１８年12月の国連気候変動枠組条約締約国会議でのスピーチをはじめ多くの場で「世界のリーダーたちや大人たちは気候危機の緊急性を真剣に受け止めるべき」と呼びかけてきた。「科学の声を聴け」（Listen to the science）というメッセージを主軸に、党派政治や世代論などの断絶に陥らないような普遍的な気候活動を展開している。

さきほどグローバル・グリーンニューディール構想を展開した際にも述べたように、2050年までに排出量実質ゼロ目標を達成するためには、クリーンエネルギー投資支出として世界GDPの約2・5%が毎年必要となる。仮にEU諸国の場合はこれより少し低めの金額、例えば年間GDPの約2%という金額でも大丈夫だとしても、2021年から2030年までの期間では年間約4000億ユーロ（52兆円）の予算が必要だ。これは欧州グリーンディールの確定支出総額の4倍だ。現にEU側も2030年までの排出量削減目標を達成するためには年間3000億ユーロ（39兆円）に近い予算金額が必要だと公に認めている。あたかもEUは化石燃料産業に向けて「欧州グリーンディールは大したことがないので心配無用です」と言おうとしているかのようだ。

以上の批判も踏まえた上で言うが、私たちには欧州グリーンディールを却下するほどの余裕はない。EUが少なくとも書面上はIPCCの排出量削減目標達成を約束し、これを「月面着陸計画に匹敵する出来事」と呼んでいるのは決して無意味ではない。地球を本気で救おうと思う人たちは、このレトリックを現実的な計画へと進化させるために全力を注ぐべきだ。そのためには以下の二つの点を声高に主張していく必要がある。第一に、IPCCおよびEUの排出量削減目標は、雇用や生活水準を犠牲にしなくても達成できるという点。第二に、クリーンエネルギーインフラの構築は消費者に長期的な利益をもたらすという点だ。そもそも省エネは定義上消費者の財布にプラスであり、またクリーンエネルギー源からの電力は化石燃料や原子力からの電力と同等もしくはそれ以下の価格をすでに実現しているからだ。こうした論点をしっかりと定着させてゆけば、緊縮政策や格差拡大や機会の喪失などの新自由主義体制の害悪がこれからも数十年間続くのではないかという問題に対して、グリーンニューディールの実施こそがヨーロッパも含む世界各国における解決策の王道なのだという点を広く納得してもらえるようになる。

ポーリンさん、グローバル・グリーンニューディールに関する仕事に加え、あなたはアメリカ国内の各州やアメリカ全国、インドやスペインやギリシャなどの諸外国、そしてプエルトリコという植民地[29]などを対象に様々な研究や提案を行ってきましたね。多数の州や国家に関するこの豊かな研究を考慮に入れた上で、一つ質問があります。今回のこの地球救済ミッションに対して、個別の州や国家は実際どれほどの影響を持ちうるものなのでしょうか。

（29） one colony　正確には「commonwealth」すなわち自治連邦区と呼ぶべきところだが、おそらく植民地支配の歴史を強調するための選択だろう。

ポーリン　当然ながら、地球上の排出量総量に対して自国の排出量が占める割合が大きい国ほど大きな影響力を持ちうる。この基準に則して考えてみると、2つの国が特に大きな影響力を持っていることが判明するだろう――そう、中国とアメリカだ。世界のCO_2排出総量に対して中国は27%、アメリカは15%をそれぞれ占めている。つまり、中国とアメリカだけで世界の総排出量の実に42%を占めているわけだ。裏を返せば、たとえ中国とアメリカの排出量を組み合わせた場合でさえも、世界の総排出量はまだ58%も残っているという見方もできる。個別の国家ごとの排出量データとして、中国やアメリカの上にEUの加盟27カ国をすべて加えても良いだろう。その場合さらに10%が上乗せされるため、中国、アメリカ、そしてEU加盟27カ国は世界の排出量の52%を担っている計算になる。ということは、中国とアメリカとEU加盟諸国をすべて考慮に入れたとしても、現時点での世界の総排出量のほぼ半分を占めている国々が無視されてしまう。

要するに、2050年までに世界の総排出量を実質ゼロに持っていくためには、ありとあらゆる地域を重要視する必要があるわけだ。排出量ゼロとは、文字通りあらゆる場所でゼロを意味するわけだからね。小国や低所得国やアメリカ国内でも人口が少ない州などを特例的に免責してしまっては、排出量ゼロという目標達成に向けて動くべき地域とそうでない地域の線引きという難題が生じてしまう。

話を具体的にするために、次の例を考えてみてほしい。インドにおける一人当たりのCO_2排出量は現在１・７トンとなっている。これはアメリカ住民の一人当たり排出量の８分の１だ。この差には、インドの平均所得がアメリカの約３％であるという事実が反映されている。それでも、インドの総排出量は22億トンであり、世界の総排出量のほぼ７％に相当する。世界人口の実に18％がインドに住んでいるからだ。

そこで、今度はインド経済が２０５０年まで３％の成長を続けたとしよう。これはここ30年間のインド経済の実際の成長率の半分でしかない。主に化石燃料を基調としたエネルギーインフラ設備は、インドのここ３年間[30]の成長の原動力となったわけだが、仮にこの先も同じような形で成長が続いたと仮定しよう。その場合、インドのCO_2排出量は２０５０年までにほぼ３倍に増える見込みとなる。すなわち、低所得国インドを特例的に免責するだけで、世界経済は２０５０年までに排出量実質ゼロという目標を達成できなくなってしまうわけだ。では、インドの例から見えてきた現実を、今度は世界中のすべての低所得国へと広げて考えてみてほしい。平均所得や総人口などの基準に基づいて一部の国々に排出量ゼロ目標からの免責を認めた場合、現実的な気候安定化計画の実施はそもそも不可能になってしまう。

以上の点を認める一方で、グリーンニューディール構想は一般の人々の生活水準を引き上げ、

（30） over the previous three years　文脈的に「30年間」の誤りだと思われる。

雇用機会を拡充し、大気や土壌や水の浄化につながるものでもあるという点をしっかりと強調しておく必要がある。それはインドだけでなく、ケニア、セネガル、ギリシャ、スペイン、コロンビア、そしてプエルトリコ等々の地域についても言える。新自由主義は重度の経済危機と生活水準の低下をもたらした。地球平均気温も上がり続けている。こうした状態がこの先も数十年間続いてしまってはいけないが、グリーンニューディールはこうした未来を回避するための唯一の現実的枠組みだ。

気候変動と格差のつながりに加えて、人口移動の問題もあります。地球温暖化現象が引き続き猛威をふるい続けた場合、歴史上類を見ない規模の人口移動が世界中で、特にグローバルサウスから西洋諸国へと起こるのではないかという危惧もあります。この悪夢のようなシナリオは、クリーン再生可能エネルギーを採用して気候変動の影響を食い止めようという努力の最中に実現してしまうかもしれません。こうした文脈で、西洋諸国が敷きうる人道的かつ現実的な移民体制はどのようなものなのでしょうか。

チョムスキー　これは本当に悪夢のようなシナリオだ。しかも、決して遠い未来の話ではない。国連の推計によると、現在6500万名もの人々が暴力や迫害や地球温暖化の影響からの逃亡によって難民と化している。[31] ケニアやウガンダやバングラデシュといった貧困諸国が、難民たちのために最低限の生活環境を提供するという巨大な重荷を背負わされている。一方、富裕諸国では難民全体のほんの一部が到着した際に自国民族の純血性が守れなくなってしまうと騒いでいる。ヨーロッパは中東の地獄のような状況（そもそも西洋に大きな責任がある状況）から逃げ出そうとしている人々が欧州に到達しないようにと、トルコにお金を払っている。また、ヨーロッパは「開発援助」なるものを世界最貧困国のニジェールに提供してもいる。実のところ、これは難民がアフリカから出ないようにするためのセキュリティシステムの「開発」に使われている。[32] そも

（31）The UN currently estimates there are 65 million refugees…　国連難民高等弁務官事務所（ＵＮＨＣＲ）の２０１６年報告書『Global Trends: Forced Displacement in 2015』のデータに基づく。これの更新版である２０１９年ＵＮＨＣＲ報告書『Global Report 2019』によると、災害を原因とする国内避難民の数は約２５００万人に及んだ。また世界銀行の推計によると、発展途上地域の55％に相当するサハラ以南のアフリカ、南アジア、そしてラテンアメリカ諸国では、２０５０年までに1億４３００万人以上の人々が気候変動の影響で難民になるとされている。参考文献：Kanta Kumari Rigaud, et al., *Groundswell: Preparing for Internal Climate Migration* (Washington: World Bank, 2018).

そもヨーロッパはアフリカの窮境に対して歴史的な責任を負っている。[xliii] 地中海でも数百万名もの死者が出ているが、ここでもまたヨーロッパはこの人たちを拒絶し、あるいは見てみぬふりをしている。

　北アメリカの状況も似たようなものだ。トランプによる言語道断な犯罪行為については周知のとおりなので、ここに改めてそれを列挙する必要もないだろう。以前から行われていた犯罪行為を、トランプ政権は独特の仕方でさらなるサディズムの極地へと悪化させた。国境の軍事化は、クリントン[33]が該当州からの抗議の声を無視して北米自由貿易協定[34]（ＮＡＦＴＡ）を強行したときに本格始動した。その頃からＮＡＦＴＡはメキシコの農業を破壊し、難民の波を生むだろうという風に理解されていた。中南米の農民（カンペシーノ）はたしかに優れた仕事をする人々だが、巨額の助成金を背後に迫り来るアメリカ式アグリビジネスとはとても競争できない。ＮＡＦＴＡのおかげで「内国民待遇」を受けられるようになったアメリカ多国籍企業に対して、メキシコ企業が競争できないのと同じことだ。アメリカへ逃げ込むメキシコ人には「内国民待遇」は認められていない。

　これさえもまだ序の口だ。アメリカが中米を崩壊へと追い込んだあの背筋が凍るような経緯については、今さら改めて語る必要がなくても良いはずなのだが、残念ながらその必要性は現実のものとして存在する。例えば、最近ではメディアがグアテマラの人々の国外逃亡の引き金となっている悲惨な情勢について報じている。グアテマラは世界でも有数の妻殺しの国であり、逃亡者には多くの女性が含まれている。グアテマラへの微々たる援助すら削減し、他方で難民に国境を

---

(32)　in reality this is the "development" of a security system…　米国平和研究所によると、アメリカとＥＵはサヘル地域への安全保障支援金額を大幅に増額したが、同地域での治安の向上は見られないという結果が出た。同報告によると、ニジェールでは「ボコ・ハラム」や「西アフリカのイスラム国」などの暴力的過激派団体が人々の安全を脅かしているが、グローバルノースからの支援はこうした国内の優先事項への出資ではなくあくまでヨーロッパへの移民流入の阻止に使われている。参考文献：Emile Cole and Allison Grossman, "In Niger, Foreign Security Interests Undermine Stability—What Can Be Done?" United States Institute of Peace, 2020.

(33)　Clinton　ビル・クリントン。第42代アメリカ大統領。大統領選挙戦略顧問ジェームズ・カーヴィルの名言「It's the economy, stupid」が象徴するように、経済政策に力を入れ、アメリカ経済における失業率とインフレを低く抑えた。他方で１９９９年にはグラス＝スティーガル法を撤廃する「グラム・リーチ・ブライリー法」に署名をし、後の金融危機への土壌を用意してしまった。２００８年と２０１６年には妻のヒラリー・クリントンの大統領選挙キャンペーンにも参戦した。

(34)　NAFTA　１９９４年1月にアメリカ、カナダ、そしてメキシコの3カ国間で共同貿易圏を設立するために合意された協定。カナダへの影響が比較的小さかったのに対し、メキシコではＮＡＦＴＡ締結が政治的・社会的不安定を引き起こし、海外投資家の大規模撤退によって１９９４年12月にはメキシコ通貨危機が発生した。通貨危機はさらに製造業部門における賃金低下と失業率上昇の引き金となった。参考文献：Miguel D.Ramirez, "Mexico under NAFTA: A Critical Assessment," *The Quarterly Review of Economics and Finance* 43: 5, 2003, 863-892.

越えさせずに元来たところへ追い返すというトランプのサディズムを批判したメディア媒体も存在する。同時に、暴力や犯罪の温床として、グアテマラ社会に根付く文化的な病理を嘆く媒体もある。[xliv]

ここにはしかし、メディアが不思議にも見落としている事実がある。そもそもグアテマラは1944年から1954年まで、ファン・ホセ・アレヴァロ大統領[35]とハコボ・アルベンス大統領[36]の指揮下で着々と病理を克服していた。グアテマラのある詩人[37]が「永遠の独裁国家に訪れた春の年月」と表現した期間だ。50万人もの人々に土地が与えられたわけだが、ラテンアメリカ学者ピエロ・グレイヒシス[38]の指摘によれば、そこには歴史上初めて「土地を収奪されるのではなく譲渡された」先住民の人々が含まれる。「グアテマラの里山を新しい風が吹き抜けていた。グアテマラの人々の大多数の心を苦しめていた『恐怖の文化』も徐々に力を弱めていた。これが遠い過去の悪夢として消え去るような未来が、手の届くところまで来ていた[xlv]」。

この未来はしかし実現しなかった。1954年にある出来事が起こったからだ。ラテンアメリカでは日常茶飯事の出来事だ。北の巨人が侵入し、政府を転覆して再び殺意あふれる残忍な独裁体制を敷いた。それからというもの、連邦政府(ワシントン)はことあるごとにグアテマラに介入し、エリート階級による野蛮な統治の維持に努めた。殺意あふれるレーガン政権の下で残虐行為はピークに達した。当時のグアテマラ大統領のリオス・モント[39]は後に大虐殺の罪で糾弾されたが、柔和なアメリカ大統領殿はこの極悪非道な化け物に向けて賞賛の言葉を送った——人権団体から「言いがかり」をつけられているが、この男は「民主主義社会を心から推進している」とね。そのかたわら

(35) Juan José Arévalo　第24代グアテマラ大統領。アメリカ公認の独裁者ホルヘ・ウビコ大統領に対する民衆の反乱運動に端を発するグアテマラ革命から頭角を現し、グアテマラで初めて民主的に選出された大統領。この革命期は「春の十年」とも呼ばれている。最低賃金の引き上げや識字率の向上を実現した他、１９４５年の新憲法の原案作成にも携わった。

(36) Jacobo Arbenz　第25代グアテマラ大統領。グアテマラ革命の一環として１９５２年に農地改革法「Decreto 900」を可決させ、未使用の農地を国内農家に配分し、地主には国債による補償を行った。特にスペインによる侵略によって土地を奪われていたグアテマラ原住民の人々はこの法律によって土地を取り戻し、大きな恩恵を受けた。同法をアメリカは自国企業の利権への脅威と見なし、１９５４年にＣＩＡがクーデターを仕掛けてグアテマラを紛争状態に陥れた。ＣＩＡの関連文書は１９９７年に機密解除され、閲覧可能となっている。参考資料：CIA, "Guatemala," https://www.cia.gov/readingroom/collection/guatemala

(37) in the words of a Guatemalan poet　グアテマラの国民的作家ルイス・カルドーサ・イ・アラゴンが１９４４年革命の経験を表現した言葉。原文は「años de primavera en el país de la eterna tiranía」。参考文献：Luis Cardoza y Aragón, La Revolución Guatemalteca (México: Ediciones Cuadernos Americanos, 1955).

(38) Piero Gleijeses　ジョンズ・ホプキンス大学米国外交政策研究教授。カストロ政権の研究における世界的な第一人者であり、キューバ国民以外ではカストロ政権期のキューバ政府公文書保管所へのアクセスを許可された唯一の人物でもある。主著『Conflicting Missions: Havana, Washington

で事実上の大虐殺が繰り広げられた。アメリカ連邦議会が殺人鬼への武器の輸出を妨害した際にも、レーガン派はすぐさま他の国々の助けを借りて穴埋めをした。そこには連邦政府が長年支援し続けてきたアルゼンチンの極右独裁体制だけでなく、帝国の権力者のためならばいつでも抑圧技術と軍事商品を出動させる準備が出来ているイスラエルも含まれる——今ではグアテマラ軍への標準軍備の提供を担っている国だ。

目を覆いたくなるような文化的慣習や社会分裂だけでなく、加速する環境破壊からも逃亡する難民たちの悲惨な状況について、心に突き刺さるような報道がされてきたわけだが、先述のような史実はそこからすっかり抜け落ちている。

フランシス教皇[40]は「難民危機」を西洋における道徳の危機として捉えていたが、まったく正しい叙述だ。

では、「西洋諸国が敷きうる人道的かつ現実的な移民体制はどのようなものなのか」。

ほとんどの場合、難民たちは他国に行きたがっているわけではなく、自国から逃れようとしている。できることなら故郷で暮らしたいと思っている。第一の対策は、こうした願いを実現できるようにあらゆる手段を尽くすことだ。こうした国々の破壊に私たちが担った役割を思ってみれば、これは道徳的命令だと言ってよい。第二に、人道的な亡命手続きを確立すべきだ。この二つはいずれも初歩的な行動だが、現状ではこれですら実行されるとは思えない。アメリカもヨー

ロッパも正反対の方針に全力で従っているからだ。人間として最低限やるべきことが仮に実行に

---

and Africa, 1959-1976』では、アフリカの脱植民地化においてキューバが担った役割について詳細な考察がなされている。

（39）Ríos Montt　第38代グアテマラ大統領。軍事クーデターによって就任した後、直ちに憲法を停止させ、議会を閉鎖し、「特別裁判所」を設立して反体制派の人々を次々に告訴した。アメリカはカーター政権が１９７７年にグアテマラへの援助を人道的理由から停止していたが、１９８１年にレーガン大統領はグアテマラ軍に向けて総額１０００万ドル（11億円）以上の軍備の販売を許可した。その後モント政権への支持率は下がり続け、１９８３年8月にはモント大統領の防衛大臣であるオスカー・ウンベルト・メヒア・ヴィクトレス准将によるクーデターによって失墜させられた。

（40）Pope Francis　第１０５回世界難民移住移動者の日を記念して２０１９年9月29日にヴァチカン市国の聖ペトロ広場でミサが行われた。このミサにおいて、フランシス教皇は以下のように述べた。「経済的にもっとも繁栄している社会は、極端な個人主義に陥る傾向をその中で増大させています。その傾向は、功利的な考えと結びつき、メディアによって助長され、『無関心のグローバリゼーション』を生み出します。こうした状況の中では、移住者、難民、避難民、人身取引の被害者が、排除される側の代表的存在になっています。彼らは自分の立場から生じる苦難だけでなく、社会悪の根源とみなされるという否定的な評価も頻繁に負わされるからです。彼らに対するこうした態度は、このまま使い捨て文化をはびこらせるならば、道徳的退廃に直面することを知らせる警鐘です。事実、こうした道をたどるならば、身体的、精神的、社会的充足の基準に当てはまらない人は皆、取り残され、排除されるおそれがあります」。和訳全文は２０２１年6月現在以下より閲覧可能：https://www.cbcj.catholic.jp/2019/08/13/19319/

移されたとしても、それだけではこの悪夢への対処の一歩目すら踏み出せない。西洋諸国がこれまで破壊し続けてきた社会を再建し、すでに難民の国外逃亡の主な理由となっている環境破壊という惨事を――覚悟をもって取り組まない限り、近い将来いよいよ悪化するはずの惨事を――防ぐために、私たちは全身全霊を捧げて努力を続けていく必要がある。

第４章　地球を救うための政治参加

気候変動が世界の勢力均衡に与えうる影響について教えてください。

チョムスキー　地球温暖化の進行状況によって変わるだろう。あるいは『ガーディアン』紙に倣って「地球酷暑化」という、より現実に即した言葉を使うべきかもしれない。現行の政策や慣習が維持された場合、この問題はそもそも意味を失う。組織立った社会生活そのものが崩壊するわけだからね。

仮に人々が正気を取り戻し、社会秩序が何らかの形で維持されたとしよう。この場合は、かかる社会秩序の内容こそが鍵となる。地球上の生命を天変地異から守るために必要な行動には、人間社会や一般の人々の意識を大きく変えるようなものも含まれるからだ。誠実な協調や国際的な連帯は迫り来る惨事に立ち向かう上で必須だが、これによって社会や人々の意識が人道や正義に適うものへと変化した場合、そもそも「世界の勢力均衡」という概念自体が時代遅れとなるか、少なくとも今ほど野蛮な形はとらなくなるだろう。

ここではしかし、組織立った人間生活を何らかの形で持続させようという努力が続けられても、文明が先述のような段階には到達できなかった場合を考えてみよう。この場合、大打撃を受けるのはまたしてもグローバルサウスだ。南アジア、中東、そしてアフリカ大陸のほぼ全域において、国土の大半がほぼ居住不能状態になる。富裕層にさえ逃げ道は残されていない。オーストラリアも深刻なリスクにさらされており、トランプ流の犯罪者が自国を破滅へと追いやっている。中国も深刻な環境問題を抱えている。ロシアは気候変動に対してかなり脆弱だが、中国とは異なり特にこれといった対策を打っていない。

残酷な歴史の皮肉と言う他ないが、世界の誰よりも熱心に地球の破壊を進めている国は、短期的に大きな被害を受ける可能性が最も低く、第二次世界大戦に勝利して以来ほぼ独占的に握り続けてきた世界の覇権をこれからも維持する見込みだ。戦争にはGDPの半分近くが注ぎ込まれたわけだが、これは数十年以内に炭素排出量実質ゼロを実現して惨劇を回避するために必要な金額よりもはるかに大きな支出だった。

ある程度成熟した文明はもはや維持できないと仮定して世界の勢力均衡を考えると頭が痛くなるが、少なくとも構造上は第二次世界大戦後のそれと似たようなものになるかもしれない。そうなった場合、「勢力＝権力」は今までよりもさらに醜悪な形をとる可能性もある。

ポーリン　ノームが描いてみせた悲観的な未来予測に、私がこれといって付け加えるべきことは特にない。「現行の政策や慣習が維持された場合」には実に深刻な環境人災が引き起こされるのだという、ノームのあの重要な洞察を今一度強調しておきたい。国際エネルギー機関（IEA）の主要出版物である『世界エネルギー展望』の2019年版が最近発表されたが、これはノームの洞察を十分に裏付けている。これはこの分野の主流出版物としては世界で最も包括的で権威がある。本報告書でIEAが行った予測によると、仮に世界が今のままの軌道、すなわちIEAが「現行政策シナリオ」と呼ぶ軌道に従った場合、世界のCO_2排出量は2040年になっても現在の330億トンという量からまったく減少せず、むしろ410億トンへと増加する。

　IEAが「公表政策シナリオ」と呼ぶ進展に基づく予測はさらに衝撃的だ。IEAによると、このシナリオは「世界各国の政府がすでに実施している政策や措置に加え、公式の目標や計画において公表されている政策の影響も」考慮に入れている。[i] つまり、公表政策シナリオには国連主催の2015年パリ気候変動会議で結ばれた協定を含む様々な要素が織り込まれているわけだ。この会議では、参加196カ国が満場一致で気候変動のもつ重大な危険性を公に認め、各国の排出量の大幅削減を約束した。ところがIEAの推計によると、公表政策シナリオを実行に移したとしてもなお世界のCO_2排出量は2040年までまったく減少せず、むしろ360億トンまで上がり続ける。

要するに、IEAの一連の予測と、先述のIPCCの目標（世界のCO_2排出量を2030年までに45％削減し、180億トンというレベルにまで下げた後、2050年までに排出量実質ゼロを実現するという目標）との間には途方もない乖離が存在する。こうした数値を考慮に入れると、「現行の政策や慣習が維持された場合」に起こりうる事態としてノームが描いてみせた展望はまったく誇張ではないという結論が出るだろう。

他方で、何らかの方法で事態が好転し、ノームの言う「人々が正気を取り戻し、社会秩序が何らかの形で維持された」場合の楽観的なシナリオが実現したとしよう。このシナリオでは、この星に生きる人々の生活が今とほぼ同じような状態で継続されるという大きな利点に加え、世界の勢力均衡の大変動が必然的に伴うだろう。楽観的なシナリオが実現すれば、世界化石燃料産業を廃業に追いやることができる上、他にも様々な成果が期待できる。そうなれば、既存の石油絡みの地政学的情勢は中東を筆頭に完全に一新されるだろう。強権国や超国家資本による謀略という大局的なレベルでの変化も生じてくる。同時に、先ほども挙げたような小規模エネルギー関連イニシアチブも、公共事業、民間事業、あるいは協同組合事業という形をとりつつ世界各地で芽吹くだろう。また現時点で電力が利用できていない人々、主に低所得国の農村部に住む人々計10億人弱に、手頃な値段でエネルギーを提供できるようになる。これはとても重要な成果だ。

さらに言うと、現在化石燃料の輸入に自国経済の安定を頼っている国々では、新たな経済政策の可能性が一気に開けてくるだろう。もはやＩＭＦの新自由主義的な指示に従う必要がなくなるからだ——国内財政支出を抑えつつ世界の貿易市場で成功するというマクロ経済政策をいつも最優先せよという指示にね。ＩＭＦの主張では、エネルギー輸入国は緊縮政策を実施し、エネルギーという必需品を購入するために十分なカネを確保すべきだとされている。ポスト化石燃料時代においては、こうした国々も自国のクリーンエネルギーインフラの構築や自国経済における多様な機会の拡充という方へより多くの力を注げるようになる。

同様に、現在石油輸出国としての恩恵にあやかっている国々は、こうした経済構造から「親離れ」し、より持続可能な発展方法に切り替える必要がある。短期的には大きな課題がいくつも生じるはずだが、調整期間を設けて解決にあたれば大丈夫だ。むしろ、エネルギー輸出国の多くはすでに「資源の呪い」[1]と呼ばれる罠に嵌(はま)っている。つまり、エネルギーの販売から得られる「楽

(1)　resource curse　関連して、開発経済学における「プレビッシュ＝シンガー命題」では、一次産品価格は工業製品価格比で時間と共に下がる傾向があるため、産業国に対する一次産品輸出国（すなわち原料輸出国）の貿易ポジションも時間と共に弱体化していく言われている。参考文献：David I. Harvey, et al., "The Prebisch-Singer Hypothesis: Four Centuries of Evidence," *The*

な儲け」が自国経済の構造を完全に決定してしまっているわけだ。特に高級官僚は海外石油企業へ忖度し、この構造から得られる「役得」にどっぷり浸かっている。資源の呪いのせいで、エネルギー輸出国の貿易収支は少なくとも一般的な経済指標を見る限りはエネルギー輸入国とさして変わらない。例えばサハラ以南のアフリカを見てみると、2010年から2015年までの間で、エネルギー純輸出国6カ国における経済成長速度は純輸入国22カ国のそれをほんのわずかしか上回っていなかった。

新型コロナウイルス感染症の世界的流行とこれへの対策は、気候変動やグローバル・グリーンニューディールを考える上で何か役に立つ手掛かりを与えてくれているのでしょうか。

チョムスキー　本書執筆時点では、コロナ危機は世界を席巻している。無理もない。深刻な危機であり、人々の生活に多大な変化をもたらしているわけだからね。それでも、いずれはこの危機も過ぎ去るだろうし、多くの犠牲が出たとしても後々必ず回復にいたるはずだ。対して、北極の海氷の融解などの地球温暖化の進行による悪影響は、一度始まってしまえばもうそこから回復する余地はない。

実存的危機が着々と深刻化しているわけだが、中には目を逸らさずにこれを直視している人たちもいる。惨事の加速を使命とし、これに全力を注ぎ続ける社会病質者（ソシオパス）たちだ。トランプと彼の子分たちは、破滅への競争を誇らしげにリードし続けている。アメリカがパンデミックの震源地と化する中――これもトランプ一味の愚行が招いた事態だが――ホワイトハウス陰謀団は新たな予算案を発表した。予想どおり、医療補助や環境保護を含め、無意味な一般大衆の利益になるような分野では今までよりもなお厳しい予算削減を推進しつつ、肥大しきった軍事体制へのさらなる餌付けやトランプ版「万里の長城」の建設を優先している。さらに「本予算案はアメリカ国内の天然ガスや原油の増産を含む化石燃料の『エネルギーブーム』を推進している[ii]」らしい。何ともサディスティックな仕上がりだ。

他方で、アメリカを始め全世界に向けてトランプ一味が用意している破局に拍車をかけるように、同政権下の企業主導型の環境保護庁は自動車排ガス規制を緩和し、環境破壊をさらに激化させつつ大気汚染による死亡者数を増やした。

例によって化石燃料諸企業は早速企業界を代表して過保護国家へ助けを乞い、またしても己の

Review of Economics and Statistics, 92: 2, 2010, 367-377.

失態の尻拭いを寛大な一般国民に嘆願している。

要するに、犯罪者階級は権力と利益の追求を一心不乱に続けている。人的被害への配慮など一切ない。「人類の生存」を望む側の人たちは、かかる階級の勢力拡大を食い止め、逆にこちら側からねじ伏せていくべきだ。さもなければ、最悪の結果が待ち受けている。場違いな思いやりは捨てるべきだ。現状を維持した場合、「人類の生存」そのものが重大な危険にさらされるわけだからね。この言葉はアメリカ最大の銀行ＪＰモルガン・チェースからリークされた内部文書からの引用だ。そこでは同銀行による化石燃料生産活動への資金提供という自殺行為を表現するためにこの言葉が使われた[iii]。

今回の危機は決して悪いことばかりではない。地域社会レベルで新たな組織が立ち上がり、相互扶助活動が始まっている。これは心強い。というのも、未曾有の課題が現在進行形で社会秩序の基盤を侵蝕している中、こうした活動こそが対抗勢力の中核となり得るからだ。医師や看護師たちは、ここ数十年間の社会経済的狂気が生んだ悲惨な環境で働いているわけだが、人間の精神力へのオマージュとしてこれほどのものが他にあろうか。ここにこそ未来への道がある。私たちには目の前にある機会をものにする覚悟が求められている。

ポーリン　ノームが強調したような根本問題に加え、気候危機とコロナパンデミックのつながりは他にもいくつかある。新型コロナウイルス感染症（COVID-19）に加え、エボラ熱、ウエストナイルウイルス（WNV）、ヒト免疫不全ウイルス（HIV）などの近年の流行病の主な根本原因の一つとして、森林破壊などの人間の侵略活動による動物生息地の破壊や、熱波、干ばつ、そして洪水の頻度と程度の悪化による残りの生息地の機能不全が挙げられる。科学ジャーナリストのソーニャ・シャー(2)が2020年2月に書いた記事によると、生息地破壊は「生息地を分断しつつ拡大する人間定住地において」野生生物が「人と頻繁に濃厚接触する」可能性を高める。「このような特殊な条件の下での頻繁かつ濃厚な接触こそが、かかる野生生物の体内に生息する微生物を人間の体内へと伝播させ、動物の体内では無害な微生物を人間にとって致命的な病原体へと変身させる」[iv]。

また、危険な量の大気汚染にさらされてきた人々の方が、清浄な空気を呼吸してきた人々よりもはるかに深刻な健康リスクを抱えている可能性も高い。ハーバード大学気候・衛生・地球環境

(2)　Sonia Shah　アメリカのジャーナリスト。企業権力、世界の人々の健康、そして人権に関する記事や書籍を多数執筆している。またコロンビア大学、マサチューセッツ工科大学、ジョージタウン大学など多くの大学で講演を行ってきた。近著『The Next Great Migration』では人間だけでなく地球上の動物たちの移住パターンを追いつつ、移住という存在様式がもつ美しさや生物学的利点、また辛さや困難を多角的に描写し、定住を特権化する一方で移住を忌避する西洋文化のイデオロギーを批判している。

センターのアーロン・バーンスタイン[3]はこう述べている。「大気汚染は、肺炎などの呼吸器感染症への感染リスクや実際に肺炎にかかった際の症状の悪化のリスクと深く関連している。COVID-19との類似ウイルスである新型肺炎(SARS)を対象として行われた研究では、汚い空気を吸っていた人たちが感染した際の致命リスクはそうでない人たちの約2倍であるという結果が出た[v]」。

さらには、COVID-19の世界的流行が最もひどかった時期に話題となった論点も挙げておこう。韓国、台湾、そしてシンガポールなどの国々は、比較的に効果が高い危機対策を成功させていた。政府には危機を前にして効果的かつ決然とした行動をとる力があるのだという点を証明してみせたわけだ。こうした国々ではCOVID-19による死者数もかなり低く抑えられ、政府による早期ロックダウンの期間の後には比較的速やかに日常生活が再開された。強い政治的意志があり、公共部門がそれなりに有能であれば、気候危機に対してもこれと同様の決然とした介入が成功するはずだ。

このような考え方は本質的に正しい面もあるが、これが極端になってしまってはいけない。例えば、経済的ロックダウンが不況を招いた際に、経済活動の低迷に伴って化石燃料の消費量やCO_2の排出量も減少したという点を指摘する評論家もいた。たしかにそのとおりだが、2050年までに排出量実質ゼロを実現するための現実的な排出量削減計画を進めていく上で、そこから何か参考になる洞察が引き出せるとは思えない。むしろ今回のこの経験は、脱成長的アプローチが排出量削減手段としていかに不適切であるかを物語っているように見える。なるほど、パンデミックと不況のおかげで排出量は一気に減少したかもしれない。しかしそれは同時期の各種所得の急落や失業率の急上昇の影響にすぎない。この経験は先ほど展開した議論にさらなる妥当性を与えていると思う――すなわち、排出量を削減する上で雇用や所得の劇的な縮小（または「脱成長」）を必要としない唯一の気候安定化計画はグリーンニューディールであるという結論だ。

以上を踏まえた上で言うが、今回のパンデミックと不況からは真にポジティブな動きも出てきている。世界各国の進歩派の活動家たちが、自国の経済刺激策にグリーンニューディール式の投資を盛り込むための運動を展開しているからだ。こうしたイニシアチブを引き続き推進し、確実に成就させていくのが肝心だ。

（3）　Aaron Bernstein　ハーバード大学疫学講師、ボストン子ども病院小児科准教授。特に近年では気候変動が医療慣習に与える影響や機会の研究に力を入れている。ノーベル賞受賞科学者のエリック・チヴィアンとの共著『サステイニング・ライフ――人類の健康はいかに生物多様性に頼っているか』（小野展嗣＆武藤文人訳、東海大学出版部、２０１７年）は１００人以上の科学者が執筆と推敲に関わった大著であり、人間による医療や食料生産が生物多様性にどのように依拠しているかが緻密に論じられている。また２０１９年にはアメリカ連邦議会にて気候変動が子どもたちの健康に与える影響について証言を行った。

そのためには、グリーンニューディール構想の各部を最善の形で始動させようとした際に生じる諸課題に特に注意を払う必要がある。グリーンニューディール計画には短期的な経済刺激策としての利点と長期的な効果とがあるが、この両方を同時に最大化することがねらいだ。こうした諸課題の重要性を、私は2009年オバマ経済刺激策のグリーン投資の部分を練り上げていた頃にひしひしと実感した。この刺激策の総額は8000億ドル（88兆円）だったが、このうち900億ドル（9・9兆円）がアメリカにおけるクリーンエネルギー投資に割り当てられていた。この投資分野に関しては、基盤となる原理こそ妥当だったものの、私も含む政策担当者たちは各事業が始動し軌道に乗るまでにかかる時間について現実的な推計ができていなかった。当時私たちは「着工準備万端な」事業（大規模な実施が速やかに可能で、しかも経済効果をすぐに与えてくれるような事業）を特定することの大切さを認識していた。しかしながら、当時のグリーン投資事業の中には着工準備万端なものがほとんどなかった。あの頃はまだグリーンエネルギー産業そのものが黎明期にあったからだ。そのため、重要度の高い新規事業は数が限られていた。今もなお、世界のほぼすべての国々において似たような状況が続いている。

そのため、グリーンニューディール式の刺激策を練っている人たちは、グリーン投資事業の中から数ヶ月以内に大規模展開が現実的に可能なものを取捨選択する必要がある。ほぼすべての国で実践可能な好例としては、公共ビルや商業ビルの完全省エネ化が挙げられる。断熱性を向上し、窓枠や扉を密封し、電球をすべてＬＥＤにし、老朽化した暖房機や空調設備をより効率的なものに（できる限り熱ポンプに）取り替えるわけだ。このような事業計画ならば、事務員やトラックの運転手、会計士や気候エンジニア、そして建築現場での仕事も含め多くの雇用が直ちに創出され得る。エネルギーの大幅な節約も期待でき、排出量を比較的安価かつ迅速に削減できる。これこそ真に着工準備万端な事業であり、これを基盤としてその他のクリーンエネルギー投資計画を加速させれば、各国経済も不況から脱して長期的に持続可能な復興の波に乗るための心強い足場を確保できる。

エコ社会主義はヨーロッパを始め各国の緑の党のイデオロギーの重要な一部となりつつあります。これは緑の党が有権者の（特に若い有権者の）支持を拡大している理由でもあるかもしれません。エコ社会主義は、はたして政治構想として十分なまとまりを有しており、オルタナティヴな将来展望として真剣な検討に値するものでしょうか。

チョムスキー　エコ社会主義についてそこまで深く知っているわけではないが、私の限られた知識の範囲内で言うと、これは他の左派社会主義の各派と重なる部分も多い思想だ。思うに、ある特定の「政治プロジェクト」への傾倒は、現在私たちが置かれている状況ではあまり役に立たない。まずは目の前の深刻な課題にすぐさま取り組むことが先だ。もちろん、課題解決への努力は私たちが望む社会の未来像を主軸として展開される必要がある。それは既述のように現在の社会の枠内で部分的に実現可能なものでもある。未来の社会構想を細部にわたって論じるのもけっこうなことだが、現状ではこうした議論は実践的な基盤にはなりえず、せいぜいアイデアを研ぎ澄ますための手段として働けば御の字だと思える。

資本主義には環境破壊を必然的に引き起こすような要素が含まれており、環境運動は資本主義の終焉を優先課題とすべきだという主張にもそれなりの根拠はある。ただし、この議論には一つ大きな問題がある——所要時間の問題だ。深刻な危機を回避するためには迅速な行動が必要とされており、そのためには国家規模や国際規模での政治参加が求められているわけだが、こうした行動をとるために残された時間の枠内では資本主義の解体は不可能だ。

さらに一歩進んで言うと、そもそもこの手の議論はある勘違いをしている。環境破壊という惨事の回避と、より自由かつ公正な民主主義社会の実現に向けての資本主義の解体とは、並行して進められる（そして進めるべき）活動だ。多くの人々がまとまってこうした活動を展開すれば、かなりの成果が期待できるだろう。具体例はすでにいくつか挙げたとおりだ。トニー・マゾッキによる労働連合の結成に向けての努力は、企業保有者主体の職場管理体制へ挑戦状を突きつけ、環境運動においても先駆的な役割を果たした。アメリカの主要産業部門の国有化＝社会化を実行する機会も、逸機に終わったとはいえ存在した。私たちに残された時間は短い。私たちにはありとあらゆる領域において闘争を開始する責任があり、またそうする力もある。

ポーリンさんに質問です。エコ社会主義はグリーンニューディール構想と両立し得るものでしょうか。もしできない場合、「緑の未来」を実現するための闘争への大規模な政治参加を促すにあたって必要な政治的・イデオロギー的物語として他に候補となるものはありますか。

ポーリン　レトリックや強調点の細かい違いはとりあえず脇に置くとして、根本的にはエコ社会主義もグリーンニューディールもやろうとしていることは同じだと思う。より詳しく言い換えると、すでに述べたとおり、気候安定化を実現しつつ同時に世界各国で優良雇用の機会を拡充し生活水準を引き上げられるような道はグリーンニューディールしかないというのが私の見解だ。そのため、グリーンニューディールは世界規模で緊縮経済政策に対抗しうる唯一の明確かつ現実的な代案でもある。緊縮経済政策への代案としてグリーンニューディールを推進することこそ、まさに私が同僚たちと一緒にスペインやプエルトリコやギリシャを含む多くの国々で取り組んできた問題だ。グリーンニューディールは格差の拡大を解消し、世界的新自由主義と近年台頭してきたネオファシズムを打倒しつつ気候安定化へと到達し得る唯一の方策だという、より広義な言い方をしても良いだろう。

グリーンニューディールの他に「エコ社会主義」という言葉が具体的に何を意味しているのか、私にはまったく見当がつかない。生産的資産の私的所有を全廃して公有化するという意味だろうか。すでにノームが示唆したように、このようなことが30年以内という気候安定化実現の制限時間内に実現可能だと本気で思う人はいるのだろうか。そもそも私的所有の全廃は、社会的正義、すなわち世界各国の労働者階級や貧困層の生活の向上にとって有用で望ましいことなのだろうか。世界のエネルギー資産はすでにそのほとんどが公有化されているが、この現実とはどう折合いをつけるつもりなのか。より正確に言うならば、完全な公有化体制へと移行すれば２０５０年までに排出量実質ゼロを達成できるとする自信の根拠は一体どこにあるのか。私の見解では、真に公平かつ民主的で、かつ地球環境を持続できるような社会の構築方法としてもっとも効果的な経路の模索こそが最重要課題だ。そのためには言葉のラベルを脇に置き、マルクス自身も言っていたようにありとあらゆるものごとを「冷徹に批判」すべきだ。そこには共産主義や社会主義が生んだ過去の経験の批判や、マルクス本人に対する批判も当然含まれる。いかにも、「私はマルクス主義者ではない」という言葉は、マルクスからの引用の中でも私が特に気に入っている一節だ。

本書の議論では気候危機以外の「惑星限界」（プラネタリー・バウンダリー）[4]、例えば空気や水の汚染や生物多様性の喪失などにはほとんど言及できなかった。エコ社会主義運動は、気候危機以外の重要な環境問題にも多くの力を注いできた。この点は認めよう。私もこの問題意識には全面的に賛同する。そして、こうした問題に対する意識を高める上でエコ社会主義運動が果たした役割を肯定する。本書で気候危機に焦点を絞ったのは、単にこれが最も緊急性の高い問題だったからだ。

エクスティンクション・リベリオンの抗議活動家たちが率いるヨーロッパの市民的不服従運動は、

（4）　other "planetary boundaries"　２００９年にストックホルム耐久性センター所長のヨハン・ロックストロームとオーストラリア国立大学化学研究家のウィル・シュテッフェンが中心となって提示した概念。地球環境において人間活動にとって欠かせない9つの領域を区分けし、各域の破壊の度合いが不可逆になってしまう点を「限界値」として設定した。気候危機はこの9つの領域のうちの一つにすぎない。参考文献：Johan Rockström, Will Steffen, et al., "Planetary Boundaries: Exploring the Safe Operating Space for Humanity," *Ecology and Society* 14: 2, 2009, 32.

気候危機を解決して公正かつ持続可能な世界を実現するための戦略として展開されており、特に若い人たちの間で急速に支持を拡大しています。他方で、この運動に対して不満を募らせている市民の数も少なくなく、下手をすると一般の人々を遠ざけてしまう危険性もあります。そこでチョムスキーさんに質問です。気候緊急事態を乗り越えるための手段として大規模な市民的不服従戦略を採ることについてどうお考えでしょうか。

チョムスキー　私はもう何年も市民的不服従に個人的に携わってきた。とても熱心に取り組んだ時期もあった。これは有効な戦術になり得ると思うが、時と場合に拠(よ)る。ある問題について強い信念を持っている人が、その信念を世界に向けて表明するためだけに市民的不服従を実行するようではいけない。戦術自体は適切かもしれないが、これを実行した後で何が起こるのかまでしっかりと考え抜く必要がある。他の人たちを考えさせ、説得し、運動に巻き込めるような行動になっているか。それとも、他の人たちを敵に回し、苛立たせ、活動家たちが抗議しているものへの支持を強めてしまうという逆効果になりはしないか。戦術をめぐる議論は往々にして軽視されがちだ。「そういう議論は凡人たちに任せておけば良い。私のような高尚な人間がわざわざそれに関わる必要はない」という具合にね。現実はまったく逆だ。戦術をめぐる議論は人々に直接影響を与えるものであり、とても高尚な問題だからだ。「私は正しい。もし他の人たちにそれがわからないならば、それは相手の問題だ」という考えでは駄目だ。そうした態度は往々にして有害な結果を招く。
直接の答えにはなっていないかもしれないが、そもそもこの問題には一般解が存在しない。何が最善かは、行動計画の内容やそこから生じると思われる結果を含めその場その場で変わってくるからだ。

ポーリンさんはこれについてどうお考えですか。

ポーリン　一つ付け加えるとすれば、気候危機の解決へ寄与し得る戦術はすべて入念に検討する必要があると思う。そこには市民的不服従も含まれる。仮に市民的不服従を計画通りに実行できた場合に何が起こるのかについても考える必要がある。例えば平日に道路や公共交通機関を封鎖した場合、人々は出勤できなくなり、親が子どもを保育園に迎えに行くこともできず、患者も病院に行けなくなってしまう。こうした事態が発生してしまうと、「気候活動家は一般の人々の生活にまで気を配ることができていない」という見解が（それが適当か不当かは置いておくとして）人々の心にさらに強く根付いてしまう。こうした見方を強化するような行為は政治的に大失敗だと言う他ない。

現にこうした見解は広く浸透している。必要な措置とはいえ、世界の化石燃料産業を閉鎖すれば労働者や地域社会が痛手を負うが、そうした人々向けの「公正な移行」計画への真摯な取り組みを気候活動家たちは必ずしも示してこなかったからだ。また炭素税の導入を論じる際にも、気候活動家たちは低所得層を含む大多数の人々へ100％の払戻しが行われない案に賛同することもあり、かかる見解がさらに凝り固まってしまった。こうした払戻しは、車の運転や自宅の電気といった素朴な日常生活を送る上でのコスト増をうまく補填するためにある。エマニュエル・マクロン大統領の炭素税案は救いようもなく鈍感だったが、これに対抗して2018年にフランスの人々が立ち上げた黄色いベスト運動は示唆に富んでいる。

繰り返すが、はっきりと有効性が確認できる場合には市民的不服従という戦略も当然実行すれば良い。「有効性」とはすなわち、2050年までに排出量実質ゼロの世界経済を実現できるようなグリーンニューディール構想の推進に役立つという意味だ。

本書でも議論を重ねてきたように、現在においても新自由主義体制は相変わらず支配的であり、またこれよりもさらに危険なネオファシズム社会運動も台頭してきています。この文脈では、気候危機に立ち向かうための深い政治参加を促す目的で有権者を鼓舞しようとしても、徒労に終わってしまいそうな心持ちになります。むしろ、気候変動のもつ緊急性の高さをしっかりと受け止めて動いているのは主に若い世代のみであるようにも見えます。こうした情勢をうまく逆転させ、気候変動を世界中の公的議論における最優先課題として位置づけていくためには、何をすれば良いでしょうか。まずはチョムスキーさんのお考えをお聞かせください。

チョムスキー　ムッソリーニ政権下の獄中でグラムシが行った洞察を引用しておく。「古いものたちが死にゆく中、新しいものたちは誕生できずにいる。その空白を幾多の病理現象が埋めている」。昨今ではもはや紋切型になりつつある言葉だが、無理もない。ことの本質を突いているからだ。

新自由主義は今後もエリート階級のマントラであり続けるかもしれないが、明らかに廃れてきてもいる。新自由主義が一般の人々に与えた影響は、場所や時期に関わらずほぼ例外なく残酷なものだった。アメリカではもはや全人口の約半分が「負の純資産」（すなわち債務超過）を抱えており、そのかたわらで上位0・1%が全体の20%以上の富を有している。これは下位90%の有する富とほぼ同等の量だ。悪趣味なこの富の集中が進むにつれて、健全な民主主義や社会福祉が直接打撃を受け衰退の道を歩んでいる。ヨーロッパは、社会民主主義の残りかすが痛みを緩和している面もあるとはいえ、ある意味アメリカよりもさらに手酷い打撃を受けている。病理現象もそこかしこにあふれている。怒り、恨み、人種差別や排外主義の悪化。移民や少数派、ムスリムの人々などのスケープゴートに向けられた憎悪。恐怖心を煽り、混乱と絶望の時代に噴出しがちな社会病理を利用する扇動政治家（デマゴーグ）たち。国際政治の舞台では「反動派インターナショナル」が台頭し、ホワイトハウスを筆頭にボルソナーロ、ムハンマド・ビン・サルマーン[5]、アッ＝シーシー[6]、ネタニヤフ[7]、モディ、そしてオルバーンなどの魅力あふれる人物たちが集結している。一連の病理現象への対抗勢力として、他方では気候変動を始め多種多様な分野における社会活動が存在する。新しいものたちはまだ誕生していないかもしれないが、多くの取り組みが複雑に織り合わさっていく中で徐々に頭角を現してきている。それがどのような形で成熟するのかは現時点ではまだはっきりしない。

予測できないことばかりだが、自信をもって言えることもいくつかある。現在醸成されている「新しいものたち」に意義が宿るためには、まずもって核戦争と環境破壊という人類の存続に対する二つの脅威に全力で立ち向かう必要がある。

ポーリンさんはどうお考えでしょうか。

（５）　MBS　サウジアラビア王太子、第一副首相、国防大臣。２０１５年にはイエメンへの軍事介入を指揮し、２０１１年イエメン騒乱以降の政治的解決策への気運を抹消させた。また２０１７年には「汚職の根絶」を大義名分に国内の政敵に対する大々的な粛清を行い、多数の政治家、実業家、そしてジャーナリストを逮捕した。人権活動家を暗殺するための秘密組織「虎たちの分隊」を結成し、『ワシントン・ポスト』紙ジャーナリストのジャマール・カショーギの暗殺をするなどして粛清を進めた。また社会運動の高まりを受けて２０１７年には女性が運転免許を取得する権利や起業をする権利を認めたが、２０１８年以降はこの運動のリーダー格たちを次々に逮捕した。

（６）　al-Sisi　第４代エジプト大統領。第一副首相、国防大臣、エジプト国軍総司令官、エジプト軍軍事情報庁長官、エジプト軍最高評議会議長などを歴任した。２０１３年にクーデターによって当時のムハンマド・ムルシー大統領の権力を剥奪し、２０１４年に96％以上の得票率で大統領に当選した。２０１４年に国内のミニヤ裁判所が「ムスリム同胞団」のメンバー５００人に死刑判決を言い渡すなど、政権に対して批判的な立場をとる人々の人権を無視する行為を繰り返している。カリスマ的な人物としても知られており、エジプトの支持者たちからは絶大な人気を誇り、個人崇拝の的となっている。

（７）　Netanyahu　第９代イスラエル首相。１９９６年から３年間首相を務めた後、１９９９年の選挙でエフード・バラックに敗れ退任。しばらく政界から距離を置いていたが、２００３年に財務相に任命され、２００６年には野党党首に就任し、２００９年に首相に再選した。パレスチナ侵攻の積極派であり、２００９年再選以来、一貫してパレスチナとの譲歩を拒否しつつ、ヨルダン川西

ポーリン　私もまずはアントニオ・グラムシの名言から出発したい――「心には悲観主義を、意志には楽観主義を」。問題の核心に迫る言葉だ。すなわち、気候科学の声に真剣に耳を傾けつつ現在の世界を見渡してみると、現実的な気候安定化に（正確には2050年までにCO_2排出量実質ゼロを実現するというＩＰＣＣの公式目標の達成に）向かってものごとが進む可能性はお世辞にも高いとはいえない。他方で、こうした目標の達成に全身全霊を注ぎこむ以外に、マーガレット・サッチャーの有名な言葉を借りるならば「他に道はない(8)」。

「意志の楽観主義」に関して言うと、気候活動は近年急速に勢いをつけてきており、すでに大きな結果を出し始めてもいる。中でも2019年9月の世界気候ストライキは特筆に価する。これを率いたのはスウェーデンの十代の若き人格者、グレタ・トゥンベリだったが、世界150カ国の4500以上の地域で600万人から750万人の人々が参加したと推計されている。

気候ストライキほど目立たなくても、これと同じくらい重要な活動は世界各地に存在する。例えば、スペインやフランスやイタリアを含む地中海西部の国々では、新たな石油や天然ガスの探査と掘削を違法化するための運動が見事に結実した。こうした政治的躍進はごく最近の出来事であり、2016年頃から始まったものだ。というのも、例えば2010年から2014年におけるスペインでは、世界金融危機と大不況の余波に苦しめられる中、政府当局が石油企業のために100件以上の許可証にサインをし、全国各地で新規探査・掘削事業を認めていた。これに対して環境活動家たちは観光業関連の事業者たちと手を組み、経済再生策としての化石燃料開発に反対し、成功を収めた。政府側は経済危機の痛みをなんとか和らげようとスペインにおける石油の探査と掘削に踏み切ったわけだが、イビサ島の地元自治体職員はこれを「悪夢」と呼び、「無事に目覚めることができて幸運だった」とも付け加えた。[vi]

西欧各地の草の根気候活動を受けて、欧州委員会は「欧州グリーンディール」計画の設立を公表した。この計画の全体のねらいは、ヨーロッパ大陸全土において２０５０年までに排出量実質ゼロというＩＰＣＣ目標を達成することだ。２０２０年初頭現在、欧州連合の二大立法機関である欧州理事会と欧州議会はこの計画に賛成票を投じた。とはいえ、立法機関による決議の採択は

岸地区、ガザ、そして東エルサレムに対する侵略行為や軍事攻撃を続けてきた。賄賂罪や詐欺罪の疑いで２０１９年に告訴され、野党側からの圧力を受けて２０２１年に退陣させられた。トランプ大統領との親交も深く、トランプは２０１７年にエルサレムをイスラエルの首都として公式に承認したが、国連総会と国連安全保障理事会は共にこれを強く批判した。参考文献：Ian Black, *Enemies and Neighbors: Arabs and Jews in Palestine and Israel, 1917-2017*, (New York: Atlantic Monthly Press, 2017).

（８）“there is no alternative” 通称「ＴＩＮＡ」。イギリスのマーガレット・サッチャー首相が社会主義的な政策を拒否しつつ労働規制緩和や金融規制緩和、また国際貿易市場の自由化などを推し進める際に使った政治スローガン。２０１３年にはデーヴィッド・キャメロン首相がイギリスにおける緊縮政策を正当化する目的でＴＩＮＡを用いた。

特段難しいことではない。肝心なのは、ヨーロッパの人々にこの約束を守る意志があるかどうかだ。この問題にはまだ答えが出ていない。

似たような動きはアメリカにおいても勢いをつけてきており、ドナルド・トランプ大統領による滑稽な気候変動否定論をも乗り越えている。例えば２０１９年６月にはニューヨーク州が全国で最も野心的な気候目標を採択したが、そこには２０４０年までの電力の完全脱炭素化や２０５０年までの排出量実質ゼロ経済の実現などが組み込まれていた。ニューヨークにおけるこのイニシアチブの背景には、カリフォルニア州、オレゴン州、ワシントン州、コロラド州、ニューメキシコ州、そしてメイン州における対策が存在する――これらはいずれもニューヨークほど野心的ではなかったのだが。[vii] 州レベルでの進歩を後押ししている重要な要素として、主流の労働運動への参加者の増加が挙げられる。労働組合員たちがリーダー的な役割を担った事例も存在する。州レベルの対策にとって、現在化石燃料産業に生計を依存している労働者や地域社会に向けて十分な「公正な移行」制度を実施できるかどうかは喫緊の課題だ。手厚い「公正な移行」制度なくしては、こうした人々や地域の生活水準は大きな打撃を受ける運命にある。「公正な移行」を気候運動の最優先課題として位置づけることで、労働組合はさきほどノームが挙げた先見的労働運動リーダー、トニー・マゾッキの遺産を継承しつつ発展させているわけだ。

低中所得諸国においては、気候運動はまだそれほど大きくなっていない。とはいえ、これも近い将来に大きく変わる可能性が高い。社会活動が盛り上がり、アメリカや西欧で見られたような連合、環境活動家や労働関連組織や一部の産業部門の事業者たちの連合が形成されてきているからだ。政治に参加する人々が増えてきている背景には、デリー、ムンバイ、上海、北京、ラゴス、カイロ、そしてメキシコシティを含め、低中所得諸国の主要都市のほぼすべてが大気汚染によって居住不可能になってきているという現実がある。デリーの若き気候ストライキ活動家、アマン・シャルマ(9)は、この問題について2019年9月の『ガーディアン』紙でこう述べている。「私たちの活動は、生きる権利、息を吸う権利、そして存在する権利を取り返すためにある。環境水準よりも産業目標や金融目標を優先するような非効率的な政策制度によって、私たちはこうした権利を剥奪されている」viii。

この運動を発展途上国の内外で盛り上げていくためには、優良雇用機会の拡充、一般の人々の生活水準の向上、そして世界各地における貧困撲滅は、気候安定化と一緒に実現できるのだとい

(9)　Aman Sharma　インドの気候活動家。Fridays For Future India 中核メンバー、「All In For Climate Action」運動創設者。ニューデリーで学校ストライキを続ける他、野生動物の愛好家としても活動しており、図鑑シリーズとして『100 Indian Birds』『100 Indian Animals』を刊行してもいる。なお2019年9月には世界気候ストライキの一環としてインド国内293地域で総勢25万人以上の人々によるデモを牽引した。

う考えをはっきりと示していく必要がある。これこそグローバル・グリーンニューディールの根幹を成す命題だ。現実的なグローバル・グリーンニューディールを推進し、「意志の楽観主義」を起動させ、地球を救う政治経済運動の力の源にしていこう。

付録　２０２４年度（投資サイクル初年度）投資計画

——ＧＤＰの２・５％、公共部門と民間部門で合計２兆６０００億ドル（２８６兆円）を投資する

クリーンエネルギー投資分野

● クリーン再生可能エネルギー　２兆１０００億ドル（２３１兆円）
　風力、太陽光、地熱、小規模水力、低排出量バイオ燃料

● 省エネ事業　５０００億ドル（５５兆円）
　建造物、交通、産業設備、エネルギー供給網および蓄電池の改良

公共財源　１兆３０００億ドル（１４３兆円）

● 炭素税収　１６００億ドル（17・６兆円）
　税収25％、消費者への払戻し75％

● 軍事予算からの資金移転　１０００億ドル（11兆円）
　世界の軍事支出総額の６％

● 連邦準備制度および欧州中央銀行によるグリーン債購入　3000億ドル（33兆円）
　金融危機における連邦準備制度のウォール街救済金の1・6％
● 化石燃料助成金の25％の再活用　7500億ドル（82・5兆円）
　化石燃料助成金総額3兆ドル（330兆円）
　資金の75％は低所得世帯向けのクリーンエネルギー価格の引き下げや直接的な所得補助に利用

民間財源　1兆3000億ドル（143兆円）

● 民間投資家への動機付けをねらいとする諸政策
政府調達
各種規制
　炭素上限および炭素税
　電力会社を対象とした再エネ利用割合基準制度
　建造物や自動車を対象とした省エネ基準
投資援助
　固定価格買い取り制度

開発銀行やグリーン銀行を介する手頃な資金提供

出典：Robert Pollin, "An Industrial Policy Framework to Advance a Global Green New Deal," in Arkebe Oqubay, Christopher Cramer, Ha-Joon Chang, and Richard Kozul-Wright, eds., *The Oxford Handbook of Industrial Policy*（Oxford, UK: Oxford University Press, 2020）.

xlii) 繰り返すが、スペインと南アフリカに関する数字にはコロナウイルスの世界的流行が国内の就業率に与えた影響が反映されていない。
xliii) Rémi Carayol, "Agadez, City of Migrants," mondediplo.com, June 2019.
xliv) Azam Ahmed, "Women Are Fleeing Death at Home. The US Wants to Keep Them Out," *New York Times*, August 18, 2019; Kevin Sieff, "Trump Wants Border-Bound Asylum Seekers to Find Refuge in Guatemala Instead. Guatemala Isn't Ready," *Washington Post*, August 16, 2019.
xlv) Piero Gleijeses, *Politics and Culture in Guatemala* (Ann Arbor: University of Michigan Press, 1988).

第4章　地球を救うための政治参加

i) International Energy Agency, *World Energy Outlook 2019*, iea.org, 751.
ii) "What's in President Trump's Fiscal 2021 Budget?," *New York Times*, February 10, 2020.
iii) Greenfield and Watts, "JPMorgan Economists Warn Climate Crisis Is Threat to Human Race."
iv) Sonia Shah, "Think Exotic Animals Are to Blame for the Coronavirus? Think Again," *Nation*, February 18, 2020.
v) "A Conversation on COVID-19 with Dr. Aaron Bernstein, Director of Harvard C-CHANGE," Center for Climate, Health, and the Global Environment, Harvard T. H. Chan School of Public Health, hsph.harvard.edu.
vi) Eurydice Bersi, "The Fight to Keep the Mediterranean Free of Oil Drilling," *Nation*, March 24, 2020.
vii) David Roberts, "New York Just Passed the Most Ambitious Climate Target in the Country," vox.com, July 22, 2019.
viii) Sandra Laville and Jonathan Watts, "Across the Globe, Millions Join Biggest Climate Protest Ever," *Guardian*, September 20, 2019.

Chakraborty, "Green Growth and the Right to Energy in India," *Energy Policy*, 2020.

xxxiii) "Extreme Carbon Inequality: Why the Paris Climate Deal Must Put the Poorest, Lowest Emitting and Most Vulnerable People First," *Oxfam Media Briefing*, December 2, 2015.

xxxiv) シャンセルとピケティは様々な現実的アプローチを以下で紹介している。Lucas Chancel and Thomas Piketty, *Carbon and Inequality: From Kyoto to Paris*, Paris School of Economics, November 3, 2015. これに加え、上述のアザドとチャクラボルティーによるアプローチなども考えられる。

xxxv) Robert Pollin and Brian Callaci, "The Economics of Just Transition: A Framework for Supporting Fossil Fuel-Dependent Workers and Communities in the United States," *Labor Studies Journal*, 44: 2, 2019.

xxxvi) Lorraine Chow, "Germany Converts Coal Mine into Giant Battery Storage for Surplus Solar and Wind Power," *EcoWatch*, March 20, 2017.

xxxvii) 例えば、レトリックや強調点の違いを抜きにした場合、私(ポーリン)は脱成長派の代表的経済学者であるジャクソンとヴィクターが以下で展開している議論にほぼ全面的に同意する。Tim Jackson and Peter Victor, "Unraveling the Claims for (and against) Green Growth," *Science* 366: 6468, 2019.

xxxviii) Herman Daly and Benjamin Kunkel, "Interview: Ecologies of Scale," *New Left Review* 109, 2018.

xxxix) Sumiko Takeuchi, "Building toward Large-Scale Use of Renewable Energy in Japan," japantimes.co.jp, July 8, 2019.

xl) Aimee Picchi, "Total Trump Food-Stamp Cuts Could Hit up to 5.3 Million Households," CBS News, December 10, 2019.

xli) 実際のところ、本書校閲時点(2020年4月中旬)では、アメリカの失業率はコロナウイルスの世界的流行とこれに続く経済崩壊の影響で一気に急上昇していた。同年3月の最後の2週間と4月の最初の2週間で、失業保険新規受給申請件数は2190万件にのぼった。これはアメリカの労働力人口の14%近くにも匹敵する。1930年代の世界恐慌以来見られなかったような数字だが、世界恐慌においてすらも、今回の危機のような超急速なペースでの失業拡大は起こらなかった。とはいえ、現時点でこの未曾有の経験から何か説得力のある教訓を引き出そうとするのは時期尚早だ。

'Right to Energy.'"
xxvii) "World Military Expenditure Grows to $1.8 Trillion in 2018," sipri.org, April 29, 2019.
xxviii) Better Markets, *The Cost of the Crisis*, bettermarkets.com, July 2015. ちなみに本書入稿時点では、コロナウイルスの世界的流行を引き金とするアメリカ経済や世界経済の崩壊を食い止めようと、連邦準備制度はさらに巨額の資金を投入している。
xxix) Martin Sandbu, "Lagarde' s Green Push in Monetary Policy Would Be a Huge Step," *Financial Times*, December 2, 2019.
xxx) David Coady et al., "How Large Are Global Fossil Fuel Subsidies?," *World Development* 91, 2017. この研究論文では直接的な化石燃料助成金（「課税前」助成金）と「課税後」助成金が区別されている。ここでの「課税後」助成金の定義には、地球温暖化による被害や大気汚染被害だけでなく、渋滞や交通事故や道路破損などの自動車関連の外部性（externalities）への補償も含まれている。同研究の推計によると、こうした助成金は世界 GDP の 6%に相当する。この試算の有用性は疑いようがない。しかしながら、財源をめぐる本節の議論に直接関係があるのは、より標準的かつ狭義の「課税前」助成金の方だ。
xxxi) Stephany Griffith-Jones, "National Development Banks and Sustainable Infrastructure; the Case of KfW," Global Economic Governance Initiative, 2016, 4. グリフィス＝ジョーンズの結論は他の研究のそれと完全に一致している。例えば、省エネ市場に関する 2013 年研究報告書において、IEA は次のような結論に達している。「ドイツは省エネに関しては世界のトップに位置している。ドイツの国営開発銀行である KfW は、ビルや産業における省エネ措置への投資に使うための融資や助成金の提供にあたって中心的な役割を果たした。それはかなりの金額の民間資金の有効活用にもつながった」。International Energy Agency, *Energy Efficiency Market* Report 2013, 149.
xxxii) Stephen Spratt and Stephany Griffith-Jones with Jose Antonio Ocampo, "Mobilising Investment for Inclusive Green Growth in Low-Income Countries," enterprise-development.org., May 2013. 解決策となりうる政策案として、アザドとチャクラボルティーはインドにおける再生可能エネルギーの急速拡大を実現するための制度を提案している。そこには炭素税も含まれており、税収はクリーン再生可能エネルギーへの投資に活用される。これはさらに、往々にして電力アクセスがない低所得地域における電力の無償化に使用される。Rohit Azad and Shouvik

xiv） US Energy Information Administration, “Levelized Cost and Levelized Avoided Cost of New Generation Resources in the Annual Energy Outlook 2020,” eia.gov, February 2020.
xv） IEA, *World Energy Outlook* 2019, 91.
xvi） 排出量に関する俯瞰的データを扱った優れた文献として、以下も参照されたい。Hannah Ritchie and Max Roser, “CO2 and Greenhouse Gas Emissions,” ourworldindata.org, first published May 2017, revised in 2019.
xvii） David Roberts, “Wealthier People Produce More Carbon Pollution—Even the ‘Green’ Ones,” vox.com, December 1, 2017.
xviii） James K. Boyce, *Economics for People and the Planet*, 7.
xix） World Meteorological Organization, *State of the Global Climate 2019*, public.wmo.int.
xx） “Quick Facts: Hurricane Maria's Effect on Puerto Rico,” mercycorps.org; Associated Press, “Hurricane Death Toll in Puerto Rico More Than Doubles to 34, Governor Says,” *Guardian*, October 3, 2017.
xxi） Vernon W. Ruttan, *Is War Necessary for Economic Growth? Military Procurement and Technology Development* (Oxford University Press, 2006).
xxii） 負の分配問題に対する「炭素配当」式の効果的な解決案は以下を参照。Boyce, *Economics for People and the Planet.* また、世界経済の文脈における公平な炭素配当制度案は以下を参照。Rohit Azad and Shouvik Chakraborty, “The ‘Right to Energy’ and Carbon Tax: A Game Changer in India,” *Ideas for India*, 2019.
xxiii） Preston Teeter and Jörgen Sandberg, “Constraining or Enabling Green Capability Development? How Policy Uncertainty Affects Organizational Responses to Flexible Environmental Regulations,” *British Journal of Management* 28: 4, 2017, 649-50.
xxiv） Robert Pollin, Heidi Garrett-Peltier, and Jeannette Wicks-Lim, *Clean Energy Investments for New York State: An Economic Framework for Promoting Climate Stabilization and Expanding Good Job Opportunities*, Political Economy Research Institute, 79-80.
xxv） James Boyce, *The Case for Carbon Dividends* (Cambridge, UK: Polity Press, 2019).
xxvi） 自国の排出量レベルによって各国の住民が恩恵を受けるような、より複雑な払戻し制度案は以下を参照。Azad and Chakraborty, “The

と思われる。だからこそ、エネルギー効率を向上させる際には、炭素の排出に対する費用を設定するなど、後述の化石燃料の消費を抑えるような政策を付随させることが肝心だ。クリーン再生可能エネルギーを拡大すれば、CO_2排出量を増加させずにエネルギー消費量を増やせるようになるという点も見逃せない。Robert Pollin, *Greening the Global Economy* (Cambridge, MA: MIT Press, 2015), 40-5.

ii) この問題に関しては、マラ・プレンティスが以下の記事で簡明かつ有用な議論をしている。Mara Prentiss, "The Technical Path to Zero Carbon," *American Prospect*, December 5, 2019.

iii) Alicia Valero et al., "Material Bottlenecks in the Future Development of Green Technologies," *Renewable and Sustainable Energy Reviews* 93, 2018, 178-200.

iv) こうした動向については以下を参照されたい。Pieter van Exter et al., *Metal Demand for Renewable Electricity Generation in the Netherlands: Navigating a Complex Supply Chain*, Copper8, 2018.

v) Troy Vettese, "To Freeze the Thames," *New Left Review* 111, 2018, 66.

vi) Prentiss, "The Technical Path to Zero Carbon."

vii) Mark G. Lawrence et al., "Evaluating Climate Geoengineering Proposals in the Context of the Paris Agreement Temperature Goals," *Nature Communications* 9: 1, 2018, 1-19.

viii) "Global Effects of Mount Pinatubo," Earth Observatory, earthobservatorynasa.gov.

ix) Lawrence et al., "Evaluating Climate Geoengineering Proposals," 13-14.

x) James Hansen et al., "Nuclear Power Paves the Only Viable Path Forward on Climate Change," *Guardian*, December 3, 2015.

xi) International Energy Agency, *World Energy Outlook 2019*, iea.org, 91.

xii) US Energy Information Administration, "Nuclear Explained," eia.gov.

xiii) Rachel Mealey, "TEPCO: Fukushima Nuclear Clean-Up, Compensation Costs Nearly Double Previous Estimate at $250 Billion," abc.net.au, December 16, 2016; "FAQs: Health Consequences of Fukushima Daiichi Nuclear Power Plant Accident in 2011," World Health Organization, who.int.

Post, September 28, 2018.
xviii) Neil Barofsky, *Bailout: An Inside Account of How Washington Abandoned Main Street While Rescuing Wall Street* (New York: Free Press, 2012).
xix) The Next System Project, thenextsystem.org.
xx) Patrick Greenfield and Jonathan Watts, "JP Morgan Economists Warn Climate Crisis Is Threat to Human Race," *Guardian*, February 21, 2020.
xxi) Kimberly Kindy, "Jeff Bezos Commits $10 Billion to Fight Climate Change," *Washington Post*, February 17, 2020.
xxii) Andreas Malm, "The Origins of Fossil Capital: From Water to Steam in the British Cotton Industry," *Historical Materialism* 21: 1, 2013, 35.
xxiii) Malm, "The Origins of Fossil Capital," 33-4.
xxiv) Karl Marx and Friedrich Engels, *The Communist Manifesto*, ed. L. M. Findlay (Peterborough, ON: Broadview Editions, 2004), 65.
xxv) Credit Suisse Research Institute, Global Wealth Report 2019, creditsuisse.com.
xxvi) Noah Buhayar and Jim Polson, "Buffett Ready to Double $15 Billion Solar, Wind Bet," *Bloomberg Business*, June 10, 2014.
xxvii) Andrew Bossie and J. W. Mason, *The Public Role in Economic Transformation: Lessons from World War II*, Roosevelt Institute, March 2020.

第3章　グローバル・グリーンニューディール

i) 1865年にウィリアム・スタンレー・ジェヴォンズがすでに指摘していたように、エネルギー効率の向上は「リバウンド効果」――エネルギー費用の低下に伴うエネルギー消費量の増加――を生むこともある。とはいえ、ポーリンも要約しているように、CO_2排出量削減と気候の安定化を目指す現在の世界規模の構想では、大きなリバウンド効果が生じるとは考えにくい。理由は色々ある。先進国経済における家電や蛍光灯のエネルギー消費量はすでに飽和点に達しつつあり、交通や冷暖房の平均リバウンド効果も10%から30%程度に留まるだろう。もちろん、発展途上国経済における平均リバウンド効果はこれよりもかなり高くなる

Schuster, 2019), 394.
iv) Christopher Leonard, "David Koch Was the Ultimate Climate Change Denier," *New York Times*, August 23, 2019.
v) Leonard, "David Koch"; " 'Kochland': How David Koch Helped Build an Empire to Shape US Politics and Thwart Climate Action," *Democracy Now!*, August 27, 2019.
vi) Lisa Friedman, "Climate Could Be an Electoral Time Bomb, Republican Strategists Fear," *New York Times*, August 2, 2019; Pew Research Center, "Majorities See Government Efforts to Protect the Environment as Insufficient," pewresearch.org, May 14, 2018; Nadja Popovich, "Climate Change Rises as a Public Priority. But It's More Partisan Than Ever," *New York Times*, February 20, 2020.
vii) Isaac Cohen, "The Caterpillar Labor Dispute and the UAW, 1991-1998," *Labor Studies Journal* 27: 4, 2003.
viii) Drew Desilver, "For Most US Workers, Real Wages Have Barely Budged in Decades," pewresearch.org, August 7, 2018.
ix) Dwight Eisenhower, *Speech to the American Federation of Labor*, New York City, September 17, 1952, eisenhowerlibrary.gov.
x) Connor Kilpatrick, "Victory over the Sun," Jacobin, August 31, 2017; Derek Seldman, "What Happened to the Labor Party? An Interview with Mark Dudzic," Jacobin, October 11, 2015.
xi) John Bellamy Foster, "Marx' s Theory of Metabolic Rift: Classical Foundations for Environmental Sociology," *American Journal of Sociology* 105: 2, 1999.
xii) Paul Bairoch, *Economics and World History: Myths and Paradoxes* (Chicago: University of Chicago Press, 1995), 54.
xiii) Dana Nuccitelli, "Millions of Times Later, 97 Percent Climate Consensus Still Faces Denial," thebulletin.org, August 15, 2019.
xiv) Ben Elgin, "Chevron Dims the Lights on Green Power," *Bloomberg Businessweek*, May 29, 2014.
xv) Michael Corkery, "A Giant Factory Rises to Make a Product Filling Up the World: Plastic," *New York Times*, August 12, 2019.
xvi) Graham Fahy, "Trump Refused Permission to Build Wall at Irish Seaside Golf Course," reuters.com, March 18, 2020.
xvii) Juliet Eilperin, Bardy Ennis, and Chris Mooney, "Trump Administration Sees a 7-Degree Rise in Global Temperatures by 2100," *Washington*

xxvii） Economists' Statement on Carbon Dividends Organized by the Climate Leadership Council, econstatement.org.
xxviii） Mark Lynas, "Six Steps to Hell," *Guardian*, April 23, 2007. 同年刊行の著作 *Six Degrees: Our Future on a Hotter Planet*（『+6℃ 地球温暖化最悪のシナリオ』マーク・ライナス著、寺門和夫訳、武田ランダムハウスジャパン、2008年）に基づく記事。
xxix） IPCC, *Climate Change and Land: Summary for Policymakers*, 2019. 25%という数値は本文献10項A3節で提示されている研究結果を総括したものだ。同8項の図表も参照。
xxx） ILO, *World Employment and Social Outlook 2018: Greening with Jobs*, Geneva, ilo.org, p. 45.
xxxi） Noriko Hosonuma et al., "An Assessment of Deforestation and Forest Degradation Drivers in Developing Countries," *Environmental Research Letters* 7: 4, 2012.
xxxii） Rod Taylor and Charlotte Streck, "The Elusive Impact of the Deforestation-Free Supply Chain Movement," World Resources Institute, June 2018.
xxxiii） Stibniati Atmadja and Louis Verchot, "A Review of the State of Research, Policies and Strategies in Addressing Leakage from Reducing Emissions from Deforestation and Forest Degradation (REDD+)," *Mitigation and Adaptation Strategies for Global Change* 17: 3, 2012.
xxxiv） "How Clean Is Your Air?," stateofglobalair.org.
xxxv） James K. Boyce, *Economics for People and the Planet: Inequality in the Era of Climate Change* (London: Anthem Press, 2019), 59-60.
xxxvi） Boyce, *Economics for People and the Planet*, 67.

第2章　資本主義と気候危機

i） Andrew Restuccia, "GOP to Attack Climate Pact at Home and Abroad," *Politico*, September 7, 2015.
ii） Ben Geman, "Ohio Gov. Kasich Concerned by Climate Change, but Won't 'Apologize,' for Coal," *Hill*, May 2, 2012.
iii） Christopher Leonard, *Kochland: The Secret History of Koch Industries and Corporate Power in America* (New York: Simon &

xiii) Oded Carmeli, "'The Sea Will Get as Hot as a Jacuzzi': What Life in Israel Will Be Like in 2100," haaretz.com, August 17, 2019.
xiv) Carmeli, "'The Sea Will Get as Hot as a Jacuzzi.'"
xv) Jeffrey Sachs, "Getting to a Carbon-Free Economy," *American Prospect*, December 5, 2019.
xvi) Sondre Båtstrand, "More than Markets: A Comparative Study of Nine Conservative Parties on Climate Change," *Politics and Policy*, 43: 4, 2015.
xvii) "Pompeo Says God May Have Sent Trump to Save Israel from Iran," BBC.com, March 22, 2019.
xviii) John R. Bolton, "To Stop Iran's Bomb, Bomb Iran," *New York Times*, March 26, 2015.
xix) Lisa Friedman, "Trump Rule Would Exclude Climate Change in Infrastructure Planning," *New York Times*, January 3, 2020.
xx) Livia Albeck-Ripka, Jamie Tarabay, and Richard Pérez-Peña, "'It's Going to Be a Blast Furnace': Australia Fires Intensify," *New York Times*, January 2, 2020; "Anthony Albanese Backs Australian Coal Exports ahead of Queensland Tour," sbs.com.au, September 12, 2019; Sarah Martin, "Australia Ranked Worst of 57 Countries on Climate Change Policy," *Guardian*, December 10, 2019.
xxi) Tal Axelrod, "Poll: Majority of Republicans Say Trump Better President than Lincoln," *The Hill*, November 30, 2019.
xxii) Jacob Mikanowski, "The Call of the Drums," *Harper's Magazine*, August 2019.
xxiii) Intergovernmental Panel on Climate Change, ipcc.ch.
xxiv) この点をまとめた最近の文献としては、以下を参照されたい。Alexander Petersen, Emanuel Vincent, and Anthony Westerling, "Discrepancy in Scientific Authority and Media Visibility of Climate Change Scientists and Contrarians," *Nature Communications* 10: 1, 2019, 1-14.
xxv) Gernot Wagner and Martin Weitzman, *Climate Shock: The Economic Consequences of a Hotter Planet* (Princeton, NJ: Princeton University Press, 2015), 74-5.(『気候変動クライシス』ゲルノット・ワグナー&マーティン・ワイツマン著、山形浩生訳、東洋経済新報社、2016年)
xxvi) Wagner and Weitzman, *Climate Shock*, 55.

原 注

第1章 気候変動の実像

i) 以下クロニス・J・ポリクロニューによるチョムスキーとポーリン両氏への質問はこの字体で表記する。

ii) Julian Borger, "Doomsday Clock Stays at Two Minutes to Midnight as Crisis Now 'New Abnormal,'" *Guardian*, January 24, 2019.

iii) Alexandra Bell and Anthony Wier, "Open Skies Treaty: A Quiet Legacy Under Threat," armscontrol.org, January/February 2019; Tim Fernholz, "What Is the Open Skies Treaty and Why Does Donald Trump Want It Canceled?," *Quartz*, October 29, 2019; Shervin Taheran and Daryl G. Kimball, "Bolton Declares New START Extension 'Unlikely,'" July/August 2019, armscontrol.org.

iv) Theodore A. Postol, "Russia May Have Violated the INF Treaty. Here's How the United States Appears to Have Done the Same," thebulletin.org, February 14, 2019.

v) Thomas Edward Mann and Norman Jay Ornstein, "Finding the Common Good in an Era of Dysfunctional Governance," *Daedalus*, amacad.org, Spring 2013.

vi) Bradley Peniston, "The US Just Launched a Long-Outlawed Missile. Welcome to the Post-INF World," defenseone.com, August 19, 2019.

vii) Anthropocene Working Group, "Results of Binding Vote by AWG, Released 21st May 2019," quaternary.stratigraphy.org.

viii) Andrew Glikson, "Global Heating and the Dilemma of Climate Scientists," abc.net.au, January 28, 2016.

ix) Raymond Pierrehumbert, "There Is No Plan B for Dealing with the Climate Crisis," *Bulletin of the Atomic Scientists*, 75: 5, 2019, 215-21.

x) Timothy M. Lenton, "Climate Tipping Points—Too Risky to Bet Against," *Nature*, 575: 7784, 2019.

xi) "The Sixth Annual Stephen Schneider Award: Naomi Oreskes and Steven Chu," recording, climateone.org, December 15, 2016.

xii) Damian Carrington, " 'Extraordinary Thinning' of Ice Sheets Revealed Deep Inside Antarctica," *Guardian*, May 16, 2019.

訳者あとがき

気候危機は解決できる――本書のテーゼを一言で要約するとしたらこうなるだろう。責任ある政策議論をするためには、既存の枠組みと時間制限の範囲内で実施可能な政策を提案し、それを実施してから問題の解決に至るまでの経路を明確にしなければならない。ノーム・チョムスキーとロバート・ポーリンの『気候危機とグローバル・グリーンニューディール』では、まさにこのような議論がなされている。一般読者にも十分に伝わるような文体で書かれた作品だが、さらに議論をわかりやすくするために、邦訳では人物名や専門用語にすべて訳注による簡単な解説を追加した。グローバル・グリーンニューディール構想の概要はすでに本書中でうまくまとめられているため、ここではこの構想をより広い文脈に置いて考えてみたい。

まず「グローバル・グリーンニューディール」という概念は特に新しいものではないという点を確認しておこう。２００８年金融危機からの世界経済復興計画の一環として、環境経済学者のエドワード・バービアは２００９年2月に「グローバル・グリーンニューディール」と題された報告を国連環境計画（ＵＮＥＰ）技術・産業・経済局に向けて行った。これを受けてＵＮＥＰは、国際諸機関からの意見を参考にしつつ同年3月に『グローバル・グリーンニューディール――政策概要』[1]という報告書を発表した。さらにバービアは4月に長編報告書『経済復興の再考――グローバル・グリーンニューディール』を発表し、翌年の２０１０年にはこれを拡張した書籍として『グローバル・グリーンニューディール――経済復興の再考』[2]を出版した。一連の著作物においてバービアは、従来型の経済刺激策では金融危機からの復興は「茶色の経済」を再び実現してしまうだけであり、気候危機を解決するためには「緑の経済」への移行資金として多額の脱炭素投資が戦略的に行われる必要があると説いた（ちなみに２００９年の時点でバービアとＵＮＥＰが「気候危機」という言葉をすでに使っていたという事実は特筆に価する）。こうした問題意識に基づいて、２００９年グローバル・グリーンニューディール構想には世界規模の炭素市場の設立、化石燃料への助成金の廃止、そして世界ＧＤＰの1％の脱炭素投資などの政策案が含まれていた。ポーリンが顧問を務めた２００９年アメリカ復興・再投資法のグリーン投資部門は、ＵＮＥＰのグローバル・グリーンニューディール構想の「ＧＤＰの1％」という規模に匹敵する財政出動だった。その他にも国内ＧＤＰ比で日本が1％、中国が3％、そして韓国が5％のグリーンニューディール投資をそれぞれ２００９年に行った[3]（その後韓国の実質的な脱炭素投資の金額は当初の約束の約半分へと下方修正されている[4]）。欧州連合は同時期にＧＤＰのたった０・２％しか脱炭素投資に当てておらず、他地域に比べ遅れをとっていた。バービアは、こうした財政出動は主に各国の国内経済の復興に向けられていたと指摘し、G20加盟諸国を批判して次のように書いている。

G20諸国の最大の失敗は、世界の貧困層の経済的・環境的脆弱性への配慮の欠如である。2008年～2009年の不況に先立って起こった食料危機や燃料危機によって、世界の貧困

(1) United Nations Environment Programme [UNEP]. (2009). *Global Green New Deal: Policy Brief.*

(2) Barbier, E. B. (2010). *A Global Green New Deal: Rethinking the Economic Recovery.* New York: Cambridge University Press. (エドワード・バービア著『なぜグローバル・グリーン・ニューディールなのか――グリーンな世界経済へ向けて』赤石秀之&南部和香訳、新泉社、2013年)。なおUNEP報告書およびバービアの2010年著書においては、ポーリン他による2008年報告書『グリーン経済復興』が度々引用されている。Pollin, R., Garrett-Peltier, H., Heintz, J., & Scharber, H. (2008). *Green Recovery: A Program to Create Good Jobs and Start Building a Low-Carbon Economy.* Washington, D.C.: Center for American Progress.

(3) Barbier, E. B. (2010). How is the Global Green New Deal Going? *Nature,* 464(8), 832-833.

(4) Sonnenschein, J., & Mundaca, L. (2016). Decarbonization Under Green Growth Strategies?: The Case of South Korea. *Journal of Cleaner Production,* 123(1), 180-193.

層の生活水準を貧困線まで引き上げるためのコストには約380億ドル（4兆1800億円）という金額が上乗せされてしまった。G20諸国の財政支出計画には、こうした状況を改善するための策が一切含まれていない。[5]

グローバル・グリーンニューディールをめぐる議論はその後金融危機からの復興という問題が落ち着くにつれて下火となったが、2018年の世界的な気候運動の盛り上がりを受けて2019年頃から再び活気づいてきている。以上の歴史的文脈を踏まえると、バービアの名前こそ本書には登場しないものの、チョムスキーとポーリンの議論はこのUNEP構想を拡張するものとして理解されるべきだと言えるだろう。

本稿執筆時点では、気候変動に関する政府間パネル（IPCC）による『第六次評価報告書』の第一作業部会報告書[6]（通称WG1）が発表されている。WG1では気候変動に関する自然科学的根拠の最新の知見がまとめられている。それ以前の報告書と比べ、WG1では温暖化の人為性について「疑いの余地がない」というIPCC史上最も強い文言が用いられた。氷河の融解、上部海洋の温度の上昇および酸性化、海面上昇、熱波、そして干ばつと熱波の同時発生に対しても、人為的である可能性が「とても高い」（90％以上）「きわめて高い」（95％以上）「ほぼ確実」（99％以上）という評価がなされている。2019年現在の大気中のCO_2濃度は過去約200

万年間で最も高く、同年の地球平均気温も過去約２０００年間で最も高い。さらに南極の氷床の融解や森林の立ち枯れなどの臨界点事象については、それが起こる可能性は低いものの、起こった場合の地球環境への影響は甚大であるため、リスク評価の一部として考慮するとされている。例えば、南極の氷床の融解が起こった場合は、海面が２１００年までに最大１・５メートル、２３００年までに15メートル以上上昇する可能性がある。たとえ世界が排出量実質ゼロを達成して地球の表層温度の上昇を食い止めたとしても、海面上昇など一部の現象はその後も数十年から数千年かけて続く可能性がきわめて高いとされている。また温暖化対策の効果に関しては、排出量の大幅削減などを速やかに実施した場合、20年以内にその効果が観測できる可能性がきわめて高く、21世紀の終わり頃になれば極端現象の大幅な防止が成果として観測できるだろうとされている。

ＩＰＣＣがまとめた最新の自然科学研究の一部を紹介した。本書ではチョムスキーもポーリン

（5） Barbier, E. B. (2010). p. 833.
（6） Intergovernmental Panel on Climate Change [IPCC]. (2021). *Summary for Policymakers. Climate Change 2021: The Physical Science Basis. Contribution of Working Group I to the Sixth Assessment Report of the Intergovernmental Panel on Climate Change*. Eds. Masson-Delmotte, V., Zhai, P., Pirani, A., et al. Cambridge University Press.

もこの分野に関する自分の専門知識の不足を潔く認めている。これは気候危機に限らず専門的な議論と向き合う際には誰もが見習うべき謙虚な態度だ。しかしながら、WG1の政策立案者向け要約を読む限り、気候危機の解決には「文字通り組織立った人間生活の存続がかかっている」と述べるチョムスキーの言葉が決して誇張ではないことが理解できるだろう。

つづいて、気候危機に関する世論に目を向けてみよう。イェール大学[7]は2021年に世界31カ国でフェイスブックのユーザー7万6382名を対象に国際世論調査を実施した。その集計結果をまとめた『気候変動に関する国際世論』によると、どの国でも「気候変動は起こっている」という回答が多数派だったが、アメリカやオランダ、オーストラリアやドイツなどの先進諸国では「気候変動は人為的である」「気候変動について十分な情報を持っている」という回答が多数派だったのに対して、フィリピンやナイジェリア、マレーシアやインドネシアなどの低中所得諸国では「気候変動は人為的ではない」「気候変動についてもっと情報がほしい」という回答が多数派だった。政府は気候変動対策を優先的に行うべきかという質問に対しては、すべての国で「最優先すべき」「優先すべき」が多数派を占めたが、その割合はコスタリカやコロンビアなどのラテンアメリカ諸国が約90%だったのに対して、サウジアラビアやエジプトなどの中東諸国は50%台に留まった。日本に焦点を当てると、パリ協定への支持率は世界第2位（95%）であり、気候変動は起こっているという回答の割合も上位（91%）だったのに対して、気候活動に積極的に参加したいと答えた人の割合は世界最下位（29％）だった。興味深いことに、気候変動対策は経済成長を促進させるかどうかという質問に対して、「促進させる」よりも「低迷させる」と答えた人の方が多かった国はオランダ、チェコ、そして日本の3カ国のみだった。

日本の大衆メディアではよく若い世代の方が気候危機に対して関心が高い（または上の世代の人々はこの問題に対して関心が低い）という主張が散見されるが、これは単なる偏見だ。内閣府の世論調査[8]によると、日本国民の約88％は気候変動問題に対して「関心がある」と答えており、また脱炭素社会の実現に向けての二酸化炭素等の排出量削減についても「取り組みたい」と答えた国民の割合は約92％にのぼった。回答者の年齢別に見てみると、年齢が上がればあがるほど「関心がある」「取り組みたい」と答えた人の割合も大きくなった。ただし、具体的にどのような取り組みをしたいと考えているのかを尋ねられると、個人レベルでの消費行動の見直し（責任ある企業の商品の購入、電気自動車の利用、省エネ、節電、再エネ利用、公共交通機関の利用等）

（7） Leiserowitz, A., Carman, J., Buttermore, N., et al. (2021). *International Public Opinion on Climate Change*. New Haven, CT: Yale Program on Climate Change Communication & Facebook Data for Good.

（8） 内閣府（2021）令和2年度　気候変動に関する世論調査　https://survey.gov-online.go.jp/r02/r02-kikohendo/index.html

が回答の上位を独占しており、「地球温暖化への対策に取り組む団体・個人の応援・支援」は約12％で最下位となっていた。

以上から、日本国民の現在の意識としては、すべての世代が気候危機に対して高い関心を持っており、これの解決に向けた取り組みにも積極的だが、具体的に行動を起こすとなると市場における責任ある消費が強調されているという傾向がある。国際的に見ると、倫理的消費とは別の軸で「地球を救うための政治参加」をしたいと考えている人々は日本においてはまだ少数派だ。こうした世論の現状を念頭に置きつつ、グローバル・グリーンニューディールをさらに深く検討するための材料として、以下ではいくつかの切り口から議論を深めてみたい。

『持続可能な開発レポート』という切り口

チョムスキーとポーリンが幾度も指摘しているとおり、気候危機の文脈で事業や政府がすべきことを考えるときには必ず国際的な気候正義の視点を議論に組み込む必要がある。国連が発表している年次報告書『持続可能な開発レポート』[9]はその文脈で大いに役立つ資料だ。そこで、ここでは同レポートの２０２１年版で取り上げられている論点のうち、グローバル・グリーンニューディールを実施するにあたって重要となり得るものをいくつか紹介したい。

まず、グローバル・グリーンニューディールへの資金源とパンデミック復興の財源論のつながりを確認しつつ、ここから見えてくる論点を整理してみたい。本書におけるポーリンの提案では、2050年までに排出量実質ゼロという目標を地球レベルで達成するために必要な資金は投資サイクルの初年度である2024年で約2・6兆ドル（286兆円）と見積もられている。このうち1・3兆ドル（143兆円）は公共部門からの出資となっているが、財源は「炭素税収」「軍事予算からの資金移転」「連邦準備制度および欧州中央銀行によるグリーン債購入」「化石燃料助成金の25％の再活用」の4項目から成る。どの項目においても先進諸国がその大半を賄うことが予想される。そのため、先進諸国から発展途上諸国へとグリーンニューディール資金が流れることになるわけだが、このような国際的なフローには必ずいくつかの問題が付随する。第一に、決済が行われる通貨が米ドルであるという問題。第二に、資金の提供や運用を行う主体間の力関係の問題。そして第三に、資金運用の成果の評価方法と汚職の防止に関する問題だ。この3つの問題は「グリーンニューディールの資金をいかに脱植民地的・ポスト帝国主義的な形で運用できるか」という課題としてまとめることもできる。

『持続可能な開発レポート』2021年版では、パンデミックからの復興のための財源論とい

(9) Sachs, J., Kroll, C., Lafortune, G., et al. (2021). *Sustainable Development Report 2021: The Decade of Action for the Sustainable Development Goals*. Cambridge: Cambridge University Press.

う文脈で以上のような問題点が整理されている。これはグリーンニューディールの財源論を考える上でも役に立つ議論だ。同報告書では、パンデミックからの復興のためには低中所得諸国の財政力を強化することが最優先課題であるとされている。では、低中所得諸国の財政力を決定している要因は何なのか。GDPに対する負債の割合が高いため政府が新たな融資を受けられなくなっているのだという通説があるが、同報告書はこれに対して、コロナ禍では先進諸国の方が低中所得諸国よりもGDPに対する負債の割合が高いにも関わらず、より多くの負債ベースの資金を調達し復興に当てることができたいう事実を指摘する。ここからは、GDPに対する負債の割合は一国の政府の資金調達能力を決定するわけではなく、むしろ負債の割合の高さと資金調達能力の高さの間には比例の関係すら見られるという結論が導かれる。同報告書には「全体として、発展途上諸国は負債を抱えすぎているのではなく、むしろ負債が少なすぎるのだ」という記述すらある。

より有力な説として、同報告書ではアメリカの連邦準備制度との「スワップライン」を持っているかどうかが各国の資金調達能力を決定しているという指摘がある。スワップラインとは、中央銀行が自国の通貨を米ドルと一定期間中に限度額付きで交換することを認める約定だ。パンデミック以前では、欧州中央銀行、スイス銀行、カナダ銀行、イングランド銀行、そして日本銀行がスワップラインを締結していた。パンデミック以後はオーストラリア、ブラジル、デンマーク、韓国、メキシコ、ニュージーランド、ノルウェー、シンガポール、そしてスウェーデンへ連邦準備制度は新たなスワップラインを提供している。スワップラインをもつ国は為替市場における自国通貨の価値を安定させやすくなり、よって自国通貨への信用格付けを高く保ち融資を受けやすくすることができる。その背景には、世界の外国為替市場の90％が米ドル建てで取引されており、世界の準備通貨においても2021年には米ドルが（下降傾向にあるとはいえ）59％を占め、世界の負債も米ドルが40％以上を占めているという状況がある。

この現状分析に基づいて、同報告書では以下の3つの解決策が提示されている。第一に、連邦準備制度がより多くの国々の中央銀行とスワップラインを締結すること。第二に、欧州中央銀行や日本銀行など国際的に取引されている諸通貨を扱う中央諸銀行もスワップラインを発展途上諸国の中央銀行に提供すること。第三に、国際通貨基金が低中所得諸国向けの特別引出権を大幅に拡張すること。融資以外の文脈で、『持続可能な開発レポート』は低中所得諸国における脱税問題を解決するために、主にロンドンやニューヨークの金融街のエリート税理士たちが首謀する様々な脱税を国際的に取り締まることも重要であると指摘している。また世界銀行を始めとする多国間開発諸銀行の融資力を大幅に増強する必要性も挙げられている。こうした策を講じることによって「低中所得諸国にも先進諸国と同等の財政力を確保する必要がある」。

『持続可能な開発レポート』のこうした議論をさらに広い歴史的文脈に位置づけてみよう。本書でチョムスキーも指摘しているように、アメリカは主にラテンアメリカ諸国や中東諸国への度重なる軍事介入や経済制裁を行ってきたという暴力的歴史をもっており、また国際法の遵守を一貫して拒むことで国際的な「アメリカ例外主義」の立場をとってきた。低中所得諸国がより大きな財政拡張を必要としているにも関わらず先進諸国よりも少ない融資しか受けられていない現状を理解するためには、アメリカのこの継続的かつ暴力的な抑圧を考慮に入れる必要がある。低中所得諸国に「先進国と同等の」財政の裁量が認められていない現状は、自然の摂理などではなく、米ドルの覇権を維持しつつ裕福な国々の人々へ他の国々の人々を従属させるために、アメリカ率いる先進諸国が意図的に構築し維持している体制だ。先進諸国による長期的介入と搾取によって低中所得諸国の人々は「ゆっくりとした暴力[10]」にさらされてきたが、そうした歴史にはスペクタクルとしての話題性がないため、当事者たちの声は様々な形で沈黙させられてきた[11]。

こうした文脈を踏まえつつ、本報告書のもう一つの重要な論点である「スピルオーバー」の議論へ移ろう。『持続可能な開発レポート』では4種類のスピルオーバー(国内における様々な活動や決定が他国に与える影響)が指標化されている。第一に、貿易に付随する環境的・社会的スピルオーバー。ここには諸外国の天然資源の使用や国内消費者の行動が諸外国の生産者に与える影響などが含まれる。第二に、国境を直接越える物質的フロー。ここには水質汚染や大気汚染などが含まれる。第三に、国際的な経済・金融フロー。ここには政府開発援助や不公平な税競争など、先述の財源論で取り上げた諸問題も含まれる。第四に、平和維持と安全保障のスピルオーバー。ここには兵器や武器の輸出入や国際的な組織犯罪などの悪い影響に加え、平和維持のための国際協力などの良い影響も含まれる。同レポートでは、高所得諸国およびOECD加盟諸国は総じて悪いスピルオーバーに偏っており、他の国々におけるSDGsの達成を妨げているという指摘がある。実際にSDG指標（SDGsの達成度を示す数字）と国際スピルオーバー指標とを比較してみると、SDGsの達成度が高い国ほどスピルオーバー指標が低い（すなわちスピルオーバーが悪性）という傾向が見て取れる。関連して、気候行動スコアの推移を見ると、傾向としてはどの所得層もほぼ横ばいを続けてきているが、国の所得が高くなればなるほど同スコアは低くなるという傾向も見て取れる。

また世界のコモンズへの各国の影響をより鮮明に可視化するために「グローバル・コモンズ・スチュワードシップ指標」の開発も進められている。国連SDSN、イェール大学、東京大学、そしてグローバル・コモンズセンターが共同執筆したプロトタイプ版レポート[12]では、計34個のイ

（10） Nixon, R. (2011). *Slow Violence and the Environmentalism of the Poor*. Cambridge: Harvard University Press.

（11） Trouillot, M-R. (1995). *Silencing the Past: Power and the Production of History*. Boston: Beacon Press.

ンディケーターがエアロゾル、生物多様性、気候変動、陸地、海洋、そして水の6項目へ区分けされ、これがさらに「国内」「スピルオーバー」へと区分けされて指標化される見込みとなっている。いずれにしても、こうして見ると日本を含む先進諸国はＳＤＧ１（貧困撲滅）を始め自国民の暮らしの豊かさを向上する指標を高く保ちつつ、そこから生じる様々なコストや責任を低中所得諸国に背負わせているというおおまかな構図が浮き彫りになる。ただし、各所得層の内部では国ごとにスピルオーバーの善悪の度合いに大きな違いがあるため、法律や政策を整備すれば悪いスピルオーバーはかなりのところまで改善できるはずだとも『持続可能な開発レポート』では主張されている。

さらに同報告書はＯＥＣＤ加盟諸国における消費者の行動が地球環境に与えている悪影響にも言及しており、例えば食生活のエネルギー消費量と持続可能性の度合いを測る「栄養段階」インディケーターの悪さや肥満率の高さなどが指摘されている。食生活に関する議論を補足すると、戦後の世界における動物製品の消費量の急増は化石燃料の消費量の増加に比肩するほどの資源消費と環境負荷を引き起こしている。欧米諸国ほどではないものの、日本における肉の消費量も世界平均や東アジア平均より高く、１９６１年には国民一人当たりの供給量が年間７・６３ｋｇだったものが２０１７年には年間49・３３ｋｇ（およそ5・5倍）にまで増えている。[13] 動物農業（肉、乳、そして卵の生産）は世界の可住地の用途としてトップであり、可住地全体の約38・

5%を占める（ちなみに他の用途は森林が37%、植物農業が12・5%、低木地が11%、川や湖が1%、そして都市およびインフラが1%となっている）。動物製品が世界のカロリー供給に占める割合は18%、たんぱく質供給に占める割合は37%となっており、栄養素の補給という面からも食料生産のための資源利用効率という面からもおそらく最も問題の多い産業であることがわかる。[14]また温室効果ガスの排出量においても、畜産業と養殖業は食料生産から生じる排出量の半分以上を占めており、世界全体のすべての産業部門からの排出量の13%以上を占めるという推計もある。[15]この値は自動車からの排出量の割合（約12%）とほぼ同等だ。[16]本書のグローバル・グリーンニューディール構想で畜牛農業がクローズアップされている背景にも以上のような事実がある。

---

(12) SDSN, Yale Center for Environmental Law and Policy, & Center for Global Commons at the University of Tokyo. (2020). *Pilot Global Commons Stewardship Index*. Paris; New Haven, CT; & Tokyo.

(13) Ritchie, H., & Roser, M. (2017). Meat and Dairy Production. https://ourworldindata.org/meat-production#which-countries-eat-the-most-meat

(14) Ritchie, H., & Roser, M. (2013). Land Use. https://ourworldindata.org/land-use

(15) Ritchie, H. (2019). Food Production is Responsible for One-Quarter of the World's Greenhouse Gas Emissions. https://ourworldindata.org/food-ghg-emissions

(16) Ritchie, H., & Roser, M. (2020). Emissions by Sector. https://ourworldindata.org/emissions-by-sector

『世界気候訴訟レポート』という切り口

米ドルの覇権という国際政治のレベルから動物由来製品の消費という日常のレベルまで、『持続可能な開発レポート』を軸としつつグローバル・グリーンニューディールに関わりのある情報を駆け足で補足した。本書ではあまり触れられていないもう一つの重要なテーマとして、ここで『世界気候訴訟レポート』2020年版[17]を参照しつつ、気候変動に関する訴訟（通称「気候訴訟」）の現状にも目を向けてみよう。コロンビア大学ロースクールのサビン・センターが運営する「気候変動訴訟データベース」を元に作成されたこのレポートでは、気候訴訟は「気候変動の緩和、適応、そして科学に関する法律または事実の重要課題を取り上げた訴訟」と定義される。２０２０年現在、世界では１５５０件以上の気候訴訟が記録されており、このうち１２００件以上はアメリカにおいて、残りの３５０件以上はその他の国々において争われた。２０１７年には全訴訟数が８８６件だったため、３年間で約75%の増加が見られたことになる。レポートの大半は訴訟例の列挙に費やされているが、これは世界各国の政府に向けて要求を行うときに、既存の法的枠組みの範囲内では何が現実的であるのかを考える上でも参考になる。

気候訴訟が成立するためにはいくつかのハードルがある。第一に、そもそも訴訟が「司法判断適合性」（当事者適格と三権分立）を満たす必要がある。気候訴訟ではどちらの条件も判断が難しい。当事者適格に関しては、例えばアメリカで当事者適格条件を満たすためには、原告が損害を受けたという点、その損害が被告の行為によって引き起こされたという点、そしてかかる損害を緩和または補償するための具体的な賠償を命じる能力が裁判所にあるという点を示す必要がある。この3点を気候変動に関する訴訟で示すのは容易ではない。また三権分立に関しても、気候変動というそもそも国内法や国際協定の整備が遅れている分野では、立法府や行政府の管轄にある事柄に干渉せずに裁判所が賠償を命じられるかどうかを判断するのもなかなか難しい。仮に司法判断適合性が確立された場合、第二の条件として、原告側は被告が侵害したとされる気候変動関連の権利や義務の根拠を司法的に執行可能な形で示さなければならない。先述した1550件以上の訴訟のうち、1200件以上は気候変動関連の損害から公共主体または民間主体の利益を守る法律を適用するという形をとっている。制定法以外では、憲法や人権を根拠とする訴訟も存在するが、現時点でこれは全体のごく一部でしかない。慣習法（コモン・ロー）や不法行為理論に基づく訴訟も同様だ。すなわち、第二の条件が満たされるためには、そもそもこのような法律の整備が一定程度進んでいる必要がある。第三に、賠償請求の内容を明確化する必要があるが、

(17) United Nations Environment Programme [UNEP]. (2021). *Global Climate Litigation Report: 2020 Status Review*. Nairobi.

ここでも気候変動に特有の困難が多く存在する。第四に、原告側が主張する損害の原因である気候変動が被告を要因としているということが示される必要がある。つまり、例えば山火事や洪水などによって原告が受けた損害の原因が気候変動であるという点が示されたとしても、被告がさらにこの気候変動を引き起こす要因となったという点を示す必要があるわけだ。この4つのハードルをクリアして初めて気候訴訟は成立する。

気候訴訟成立のハードルの高さを確認したところで、次は原告側の勝訴となった判例をいくつか紹介したい。オランダの最高裁判所は、欧州人権条約第2条8項に従ってオランダ政府は個人の生命の権利と私生活および家族生活の権利を保障する義務があるため、摂氏1・5度以下という温暖化目標を達成するために排出量を削減するべきであるという判決を下した。ブラジルの裁判所は、アマゾンの熱帯雨林の保全のための基金である「アマゾン基金」の運用をブラジル政府は不適切に行っていたとし、これの運用やそれによって実施または一時停止した活動に関する情報を開示するよう政府に命じた。パキスタンの裁判所は、パキスタン政府を含む各当局に向けて、国有林の管理が国有林の保護と回復のための既存の法律に即しておらず、ずさんに行われているとし、同法律を「字義と精神の両面で適用し、森林の植林、保護、そして保全を行う」よう命じた。

その他の興味深い訴訟の例として、化石燃料の利用拡大に関するものを2つ付記しておく。第一に、神戸の石炭火力発電を考える会は日本政府に対して、2基の火力発電所の評価書の確定通知の取り消しを求めた。原告側は、火力発電所の新設は日本の2030年および2050年の気候変動対策目標と矛盾し、また新規発電所の建設と稼動はきれいな空気、健全な環境、そして安定した気候への権利を侵害するものであるとしている。第二に、Fridays For Future Estonia はエストニア政府に対して、新たなシェールオイル・プラントの建設の許可が、プラントの気候への影響、パリ協定へのエストニアの責任、そして欧州連合の気候緩和目標を十分に考慮せずに行われたとしている。どちらの訴訟も係争中だが、化石燃料の新たな利用を促進する事業を裁判によって阻止できるかどうかは気候活動にとって大きな問題であり、ここからもし気候変動対策にとって有利な先例が生じた場合はグリーンニューディールを進める上でも追い風となるだろう。

『世界気候訴訟レポート』2020年版には、原告側が自然物に「自然の権利」を認めるよう政府に請求をして勝訴した判例も紹介されている。コロンビアの憲法裁判所は「憲法と自然環境との関係はダイナミックであり、常に進化し続けている」とし、自然界を「国家によって認められ、その法的代表者たち（例えばかかる自然界に居住したりこれと特別な関係にあったりする共同体たち）によって保護されるべき諸権利の実質的主体」として捉え、これに基づいて原告側の「アラト川の生態系の健全性を脅かす採鉱および伐採活動を政府は阻止すべきである」という要求を認めた。ニュージーランドでは、ワンガヌイ川とテ・ウレウェラ国立公園に個人の権利に相当する権利が法的に認められた。こうした権利の対象の拡張に関して、本書中でチョムスキーはビル・クリントン政権下で締結された北米自由貿易協定（ＮＡＦＴＡ）がアメリカ企業に個人としての権利を認める一方でメキシコからの移民たちには同じ権利を認めていないという点を強調している。これに比べてニュージーランドにおける事例は、自然環境の保全と地元共同体の権利の保障を促進しているという点で、法的な個人という概念の拡張としては良好な傾向であると言えるだろう。

『世界気候訴訟レポート』が指摘するように、裁判所が被告に気候変動を原因とする損害への金銭的な賠償を命じた判例は、２０２０年現在一件も存在しない。これはグローバル・グリーンニューディールを構想するにあたっても重要な事実だ。というのも、特に気候変動関連の法整備が進んでいない国々では、たとえグリーンニューディールを実施したとしても、政策の理念が実践の場で貫徹されるように裁判所が市民を支えてくれる保証がないからだ。本書でポーリンは、民間電力会社がＩＰＣＣの排出量削減目標を達成できなかった場合、ＣＥＯに禁固刑を科すべきだという提案を行っている。仮にこの提案が適切なものだったとしても、上述の議論からも明らかなように、具体的にこれを実施するために必要な法律の整備と執行には多くの困難が伴うことが予想される。気候正義を実現するためには、経済的な格差を是正するだけでなく、司法の場における格差の是正をする、すなわち気候変動を悪化させるような活動を行っている主体によって権利を侵害された人々がかかる主体を公正な裁判にかけることができるようにする必要がある。

新自由主義批判という切り口

グローバル・グリーンニューディールは世界各国の人々が市場における主体としてのみならず政治を民主的に動かす市民として協力することを目指す構想だ。社会で団結して一つの問題の解決に取り組むという意味で、これはマリアナ・マッツカートの言う「ミッション経済[18]」構想に近い。そのため、一方でこれは新自由主義に対抗する構想だが、大規模な財政出動によって再生可能エネルギーや電気自動車などの高度技術へ巨額の投資を行う政策であるという意味では、市場を使うことで社会問題の解決を図る新自由主義と親和性がある。本書で市場崇拝を「グラムシ的ヘゲモニー」「プロパガンダ」と表現するチョムスキーの批判をさらに具体的にするために、ここでは経済史家であり新自由主義研究の第一人者でもあるフィリップ・ミロウスキの仕事[19]を手掛

---

(18) Mazzucato, M. (2021). *Mission Economy: A Moonshot Guide to Changing Capitalism*. London: Allen Lane.

(19) Mirowski, P. (2013). *Never Let a Serious Crisis Go to Waste: How Neoliberalism Survived the Financial Meltdown*. London: Verso.

かりに、新自由主義批判という文脈でグローバル・グリーンニューディールの課題を検討してみたい。

ミロウスキによると、新自由主義の成立の歴史やその内容は広く誤解されている。特に左派の経済学者やマルクス主義者の中には、新自由主義を単なる市場原理主義または資本家が大衆に語り聞かせる単なる物語として理解する傾向があるとミロウスキは指摘する。実のところ、新自由主義は説得力をもつ多角的な思想運動であり、まさにそのおかげで着実に影響力を拡大することができた。この点を見て取るために、ミロウスキが展開する新自由主義解釈と批判に目を向けてみよう。

ミロウスキによると、古典派経済学はアダム・スミスの頃から自然科学における諸々の数式を援用しつつ発展した[20]。新古典派はここに限界効用の概念を導入し、ワルラスの法則やパレート最適などの諸概念からなる一般均衡理論というミクロ経済学的な基礎をもつようになる。歴史的に俯瞰すると、経済学では一貫して自然現象を表象する数式が市場に援用されてきたため、市場と自然との間に一種の対応関係が構築され、市場への介入を自然への介入と等価に扱うアプローチが可能になったとミロウスキは指摘する。さて、新古典派経済学においては市場とは主体同士の取引の場という狭い理解がされていた。そこへ新自由主義は「市場はありとあらゆる人間よりも優れた情報処理装置である」という命題を導入し、市場の概念そのものを拡張した。これはフリードリッヒ・ハイエクが「社会における知識の利用」という古典的論文において社会主義批判の文脈で論証を試みた命題だが、ミロウスキはこの命題を新自由主義の中核をなす教義として位置づけている。こうして市場の概念そのものが拡張され、情報理論の隆盛も相俟って新古典派経済学は新自由主義的な方向へと発展していく。

この歴史的文脈で、ミロウスキは新自由主義者たちの気候変動対策戦略を次のようにまとめている。まず、短期的には「懐疑の商人」[21]を雇って否定論を展開し、世論をかき乱して時間を稼ぐ。中期的には炭素税やキャップ・アンド・トレード(炭素上限取引制度)によって新たな市場を創設し、然るべき枠組みの中における市場取引によって環境への悪影響を緩和し、さらなる時間を稼ぐ。そして長期的には主に地球工学への投資を加速させることで起業家による技術開発を促進し、温室効果ガスの大量除去やエアロゾルの大量注入などによって一発逆転の問題解決をねらう。一見すると資本家階級が既得権益を守るためにでっち上げた単なるイデオロギーにも見えるかもしれないが、先述の「市場はありとあらゆる人間よりも優れた情報処理装置である」というテー

(20) Mirowski, P. (1989). *More Heat Than Light: Economics as Social Physics*. Cambridge: Cambridge University Press.

(21) Oreskes, N., & Conway, E. M. (2010). *Merchants of Doubt: How a Handful of Scientists Obscured the Truth on Issues from Tobacco Smoke to Global Warming*. New York: Bloomsbury.

ゼを念頭に置けば理論的に首尾一貫したアプローチであることが判明するだろう。ミロウスキも指摘するとおり、気候危機対策としての社会レベルでの行動変容は、政治家や事業者などの指導者的な立場にある個人の裁量に委ねるよりも市場に委ねた方が成功する可能性が高いことを新自由主義の理論は示している。ただし、これがうまくいくかどうかは市場の設計のされ方にも拠る。用途に応じてコンピューターの設計やチューニングを変えていく感覚で、新自由主義的な為政者たちは気候変動対策という用途に最適な市場の設計やチューニングを進めている。また経済学における市場と自然との間の対応関係に関する歴史的経緯を考慮に入れると、温室効果ガス排出量削減などの地球環境への物質的介入を炭素の社会的コストの算出と適用という市場への政策的介入に置き換えて考えることをよしとする思考の理論的背景もはっきりするだろう。

新自由主義思想における市民論も特筆に価する。これはミロウスキの指摘によると経済学者のジョージ・スティグラーの著作物に顕著に現れている。スティグラーによると、知識とは市場において各市民が最適なコストで各々の効用を最大化するために入手する商品だ。この説明によると、経済政策に関する正確な知識や情報を習得していく作業は、大多数の市民にとって費用（すなわち勉強に必要な時間や金銭）に対する効果が低すぎるため、合理的ではない。よって、市民は正確性とは別の価値基準（例えば確証バイアス[22]や社会的地位など）に従って知識や情報を得ていく。このため市民には責任ある政策立案をする能力はなく、またそのような能力を十分に高める動機も無い。よって、経済政策などの諸政策の立案・決定・実施は正確な知識と情報を習得する動機をもつ一部のエリートに任せるのが良いとスティグラーは主張した。（この考え方は現代においてもキャス・サンスティーン[23]などの行動経済学に引き継がれている）。ミロウスキのスティグラー解釈に基づくこの新自由主義的エリーティズムを考慮に入れると、気候危機という高度な専門知識を総動員しなければ解決できないような問題に対しては、真に民主的な意思決定によってではなく一部のエリートの判断に従って答えを出し、大衆は各々が信じたい物語を「アイデアの市場」で買って消費しつつエリートの指示に従っていれば良いのだという態度の合理性がわかるだろう。ソーシャルメディア全盛の現代においては、一般大衆のみならず一部の専門家までもがバーチャルな市場で自己を一種の商品のようにプロデュース[24]し、常に互いを評価し合い、そうした相互評価の市場力学によって淘汰された発言や人物が社会的影響力を獲得する。この注意力経済こそスティグラー的な新自由主義の「アイデアの市場」ビジョンの完成形の一つだと言

（22） Tavris, C., & Aronson, E.（2007）. *Mistakes Were Made*（*But Not by Me*）*: Why We Justify Foolish Beliefs, Bad Decisions, and Hurtful Acts*. Boston: Harcourt.

（23） Sunstein, C. R.（2020）. *Too Much Information: Understanding What You Don't Want to Know*. Cambridge: MIT Press.

（24） Gershon, I.（2011）. Neoliberal Agency. *Current Anthropology*, 52（4）, 537-555.

える。

ミロウスキを援用しつつ新自由主義思想の理論的・実践的一貫性を概観した。とはいえ、新自由主義はあくまで思想運動であり、気候危機への現実的な解決策ではない。例えば、スティグラーが言うエリートの「専門知識」の内容は「最低賃金の廃止」（生産性の低い労働者の解雇を防ぎ失業率を低く保つため）、「関税の撤廃」（資源の無駄遣いを防ぎ生活水準を高く保つため）、「高金利規制の撤廃」（高利融資への需要に対する供給を確保し効用を最大化するため）[25]等々、新自由主義流に料理された新古典派経済学の諸理論からは導出できるものの、現実世界においては市民にとって望ましくないものばかりだ。気候危機対策に関しても、本書でポーリンはノードハウスのＤＩＣＥモデルから導かれる不条理で非現実的な結論を批判しているが、仮に中期的には市場ベースの解決策が時間稼ぎに成功したとしても、新自由主義的な筋書きどおりに将来世代が魔法の新技術を開発して諸々の気候変動事象を巻き戻す保証などどこにもない。むしろＩＰＣＣの第六次評価報告書ＷＧ１が示すとおり、南極の氷床の融解などの臨界点事象は、一度起こってしまえば数十年から数千年という単位で悪化を続ける可能性がきわめて高い。しかし、経済学の外部からのこうした批判は、新自由主義思想に代わる別の経済思想の必要性を切実に表現してはいるものの、それ自体としては経済思想ではない。新たな思想的基盤を構築して新自由主義を学問的かつ理論的に打倒するという課題は、気候危機の解決に寄与したいという思いを抱く経済学者たちにとって最重要の課題であると言って良いと思う。

言語学と人間の翻訳論

チョムスキーとポーリンの両著者の人物紹介は、すでに聴き手のクロニス・J・ポリクロニューが序文で行っているため割愛する。代わりに、ここでは言語学におけるチョムスキーの功績やこれをめぐる議論から、訳者あとがきにふさわしいと思われる主題をいくつか取り上げてみたい。

周知のとおり、チョムスキーは１９５７年発表の『統辞構造論[26]』によって言語学に革命をもたらした。そこでは統辞論が意味論と完全に独立した分野として提示され、「諸言語を比較し、観察から得られた共通の文法規則を記述する」という従来の言語学の発想とは一線を画し、文法的な文を生成するために必要な言語の初期状態（普遍文法）と生成の諸規則の解明という新たな問題設定が行われた。こうした諸規則は数理的に（すなわち集合論的・計算論的に）記述される。

(25) Stigler, G. (1970). The Case, If Any, for Economic Literacy. *The Journal of Economic Education*, 1 (2), 77-84.
(26) Chomsky, N. (1957). *Syntactic Structures*. The Hague & Paris: Mouton.

その後この研究プログラムは「Xバー理論」「原理とパラメーター」などへと発展し、1990年代には「ミニマリスト・プログラム」[27]に至る。そこでは変形生成文法における最小単位の計算として「併合」（ある要素とその内部にある別の要素とを組み合わせる「内的併合」と、互いに独立した要素を組み合わせる「外的併合」の総称）が提示され、統辞論の新たな基礎として位置づけられた。こうした洞察を基盤としつつ、後期チョムスキーでは言語能力の普遍性と自然言語の多様性の起源をめぐる諸問題へと思索が進められている。このとき言語は、人間が心の中で考えるときに起動するシステム（概念志向システム）と表現の発信と受信を行う際に起動するシステム（調音知覚システム）という2つのシステムのインターフェース条件を満たすために最適化された計算システムとして仮定される。ここからチョムスキーは、約8万年前に西アフリカでヒトの認知能力に何らかの小さな生物学的変化（おそらく「再帰」（recursion）の発生）が起こり、これによって併合が生じ、言語能力の発達を可能にしたという仮説を導いた[25]。

　チョムスキー以後の言語学は高度に専門的な分野であり、訳者である私にはその詳細を正確に紹介するために必要な数学的・自然科学的知識はない。ただし「機械翻訳」における言語学的論争については、本書の訳文にも関連する議論であるため、あえてここで紹介を試みたい。

　自然言語処理技術の精度は近年大幅に向上している。その主な原動力は、使用可能な対訳データ量の飛躍的な増加であり、これのおかげで機械学習モデルのパラメーター数もまた桁違いに増えた。例えば、OpenAIが開発し世界的に注目されている生成事前学習変形装置３（ＧＰＴ-３）のパラメーター数は約１７５０億個だが、これは前身のＧＰＴ-２の約15億個に比べると二桁以上の差となっている。アルゴリズムのレベルでは、チョムスキーが『統辞構造論』を書いた１９５０年代にはマルコフ連鎖によるモデリングが用いられていたが、ＧＰＴ-３は人工ニューラルネットワークを採用している。２０２１年現在、主流の翻訳プログラムはいずれもＧＰＴ-３と同じようにビッグデータとニューラルネットワークの組み合わせを採用している。

既存の機械翻訳プログラムのうち、英和の言語ペアで最も訳文の精度が高いものはDeepLだろう。そのことを示す一例として、本書の書き出しの段落の翻訳をご覧いただきたい。

原文

Over the last couple of decades, the challenge of climate change has emerged as perhaps the most serious existential crisis facing humanity but, at the same time, as the most difficult public issue for governments worldwide. Noam, given what we know so far about the

---

（27） Chomsky, N. (1995). *The Minimalist Program*. Cambridge, MA: MIT Press.

（28） Chomsky, N. & Berwick, R. C. (2013). *Why Only Us: Language and Evolution*. Cambridge, MA: MIT Press.

science of climate change, how would you summarize the climate change crisis vis-à-vis other crises that humanity has faced in the past?

DeepL

ここ数十年の間に、気候変動の問題は、おそらく人類が直面している最も深刻な存亡の危機であると同時に、世界中の政府にとって最も困難な公共問題として浮上してきました。ノアムさんは、気候変動の科学についてこれまでに分かっていることを踏まえて、人類が過去に直面した他の危機と比較して、気候変動の危機をどのように要約しますか？

人間（訳者）

ここ数十年間で、気候変動問題は人類が直面する最も深刻な実存的危機として、また世界各国の政府にとって最も困難な社会問題として立ち現れてきました。そこでチョムスキーさんに質問です。気候変動について現在わかっていることを考慮に入れた上で、過去に人類が直面した他の危機と気候変動危機との関係を要約していただけますか。

ご覧のとおり、DeepL の訳文は人間の訳文とほぼ同等の質を実現しており、読み手の好みによっては人間である訳者が書いた文章より優れている部分もある。例えば、人間版ではポリクロニューとチョムスキーの人間関係の距離感を考慮に入れて英語の「Noam」を「ノーム」ではなく「チョムスキーさん」と訳したが、相手を敬っていてもファーストネームで呼び合うアメリカの慣習をそのまま日本語で演出したいという場合は DeepL が行った翻訳の方が優れている。また語選のレベルでも、例えば「existential crisis」というキーワードの和訳として、人間版ではこのフレーズを単独で成立させ哲学的な響きも残すために「実存的危機」という言葉を選択したが、本段落の文脈に特化した翻訳を求める場合は、DeepL の「存亡の危機」という言葉の方がポリクロニューの言わんとすることを単刀直入に表現していて優れている。他にも DeepL と人間との間の微妙な差異は質的な差ではなく好みや方針の差にすぎないものばかりだ。

こうした現状と向き合ったとき、2つの問題が浮上する。第一に、GPT-3や DeepL の成功は人間の言語に関する洞察を提供してくれるものか。第二に、機械翻訳の精度の高さを前にして、人間の翻訳家にできることは何か。

一つ目の問題について、チョムスキーは既存の自然言語処理技術からは言語学的に意味のある洞察は引き出せないという立場をとっている。たとえGPT-3や DeepL がチューリングテストを100%に近い確率でパスできたとしても、それはこうしたプログラムの内部のメカニズムが人間の言語のメカニズムと同一であることを意味しない。ここまでは機械学習開発者たちも大方同意しているが、チョムスキーはさらに「確率論的モデルでは人間の言語の仕組みは解明できない」という立場をとる。論理的モデル派と確率論的モデル派の間での論争は今もなお続いているが、その一例として確率論的モデル派のピーター・ノーヴィグ[29]の議論に目を向けてみよう。

ノーヴィグの解釈では、初期チョムスキーの批判は主にマルコフ連鎖に基づく確率論的モデルに向けられているのだが、これをチョムスキーは統計的モデル一般の批判へと無理に拡張しようとしている。やや乱暴に要約すると、文A「Colorless green ideas sleep furiously.」（無色の緑色のアイデアは猛烈に眠る）と文B「Furiously sleep ideas green colorless.」（猛烈に眠るアイデア緑色無色）はどちらも1957年の時点では統計的に新しい文だったが、文Aは文法的であるのに対して文Bは文法的でない。つまり、人間には標本空間に含まれていない文の文法性を判断する能力がある。チョムスキーはここから、人間の言語能力は統計的モデルでは記述されないという結論を導こうとする。これに対してノーヴィグは、文Aと文Bの文法性は有限マルコフ連鎖モデルでは判別できなくても、統計的学習に基づく最新のモデルを用いれば確率的に判別できるという点を指摘している。そこでは文法的である・ないのバイナリではなく、文を構成する個々の要素の分析に基づいて文Aの方が文Bよりも文法的である確率が約20万倍高いという判断となる。それだけでなく、最新の統計的モデルに従えば文Aも文Bも人間の言語において出現する確率が非常に低いという判断ができるが、バイナリベースの論理的モデルではそのような判断はできないとノーヴィグは指摘する。

より経験的な角度から、チョムスキーは統計的学習に対して「人間の幼少期の長さは10^8秒ほどだが、これは10^9個ほど存在する自然言語のパラメーターを習得するには短すぎる」という批判も展開している。これに対してノーヴィグは、統計的学習はパラメーターを一つひとつ個別に調整するわけではなく、出現率がほぼ0％に等しい大多数の変数に対してはある程度一律の確率分布を与えた上で微調整をしていくのだと指摘し、後者のような方法に基づけば10^8秒という時間の範囲内でも言語のパラメーターの調整は十分に行われうると主張している。

ノーヴィグは他にもいくつかチョムスキーの批判に対する返答を行っているが、ややカカシ論法的な議論となってしまっているため、ここでは紹介しない。ただ、上記の2つの論点は、人間の言語の仕組みの解明において確率論的モデルが担い得る役割についていくつかの示唆を与えてくれている。一方で、人間が標本空間に存在しない文の文法性を判断できるという事実を説明する際のノーヴィグの確率論的モデルの擁護に対して、チョムスキーならばこれはそもそも統辞論のねらいの誤解に基づく議論だという答え方をするだろう。進化論的にも発達心理学的にも、そもそも人間の言語は標本空間に要素がほとんどない状態から出発して発達するため、確率論的モ

(29) Norvig, P. (2012). Colorless Green Ideas Learn Furiously: Chomsky and the Two Cultures of Statistical Learning. *Significance*, 9 (4), 30–33.

デルは人間の言語の初期状態についても、学習の初期段階の生成の仕組みについても、ほぼ何も原理的な洞察を与えてくれない（チョムスキーが言う「原理的な洞察」とはそもそも何なのかという問題はあるが、ここでは深入りしないでおく）。他方で、自然言語の習得がある程度まで進んだ後は、標本空間にデータが集まっている（あるいは新しい文に対して事前確率を設定できるだけの情報が与えられている）ため、統計的学習に基づいて新しい文の文法性が判断される可能性も十分にありえる。

以上は一見すると本書と何の関係もない言語学的論争に思えるかもしれないが、これは機械翻訳と人間の翻訳家の関係を考える上で重要な基礎的議論だと思われる。既述のとおり、DeepLの訳文は人間の訳者の訳文と比べても遜色ない質を達成している。こうした事実と向き合ったとき、人間の翻訳家は自分の役割をどう再考し理解すれば良いのか。

機械翻訳における既存のアプローチ[30]は大きく2つに区別できる。一方には統計的アプローチがある。厳密に言い換えると、統計的機械翻訳とは、あるデータ集合における原文と訳文の対応関係の分析から最適だと思われる訳文を自動的に生成するシステムを指す。対して、人工ニューラルネットワークに大量のデータを与えて学習をさせ、こうして細かくチューニングされたアルゴリズムを使って原文から訳文を出力するシステムは統計的機械翻訳と区別してニューラル機械翻訳と呼ばれる。大量のデータが使用可能となったことを追い風に、正確性、速度、そして柔軟性などの観点から、DeepLも含む既存のプログラムでは後者のニューラル機械翻訳が主流となっている。他方で、統計的学習ではなく、最適な論理的規則を適用して翻訳を行うアプローチも存在する。これは数学者のベルナール・ヴォクワが1968年に提示した「中間言語」(interlingua)という概念にさかのぼる。中間言語とはすべての自然言語に共通の抽象的構造のことだ。このアプローチでは、原文を中間言語によって一度表象し、この構造から訳文を生成することがねらいとなっている。このとき、中間言語の精度は翻訳プログラムがチューリングテストをパスするかどうかによって決まるため、人間の言語の正確な表象である必要はない。中間言語に基づく論理的アプローチの開発は統計的アプローチに比べるとまだそれほど進んでおらず、実用化も遅れている。

機械翻訳における訳文の精度はバイリンガル評価代役(BLEU)スコアによって評価される。BLEUスコアとは、人間のプロの翻訳家の訳文に機械の訳文がどれくらい似ているかを表す指標だ。今はまだ人間の仕事を基準に機械の訳文を評価している段階だが、ニューラル機械翻訳の精度がさらに高まってゆけば、チェスや将棋の世界と同じように翻訳の世界においても機械の仕事を基準に人間の訳文を評価する時代がやってくるだろう。こうした逆転の背景には、ある重要な仮定が存在する。すなわち、例えば将棋では原理的にはどの局面においても最善手が存在する

(30) Koehn, P. (2020). *Neural Machine Translation*. Cambridge: Cambridge University Press.

と仮定され、既存のソフトはこれを大多数の人間よりも高い確率で特定できるものとされている。同じように、翻訳の世界においても1つまたは極少数の最善の訳文の存在が仮定され、精度の高い機械翻訳は人間よりも高い頻度でこの最善の訳文を生成するものだという考え方が広まるだろう。

　こうした傾向は特にノンフィクション翻訳において顕著に現れると思われる。将棋においては、最善手とは他の手に比べてそれを指した側がその対局に勝つ確率を最も高くする一手だと定義されうる。このような定義が成立するためには、「対局に勝つ」という明確な目的の共有が必要となる。例えば一方の対局者が勝つことを目的に指しているとき、もう一方の対局者が駒柱を作ることを目的に対局をしていた場合は、勝つための最善手と駒柱を作るための最善手は異なる場合が多いと思われるため、両対局者に共通の「客観的な」最善手は特定できなくなる。同様に、翻訳の場合も読み手が訳文に求めるもの（すなわち翻訳の目的）が異なる場合は、客観的に最善の訳文というものも特定できなくなる。しかしながら、ノンフィクション翻訳の場合は、良かれ悪かれ「正確性」と「わかりやすさ」という目的がかなりのところまで共有されている。そのことは、例えば書評やレビューなどで文体の質を評価する際に評者やレビュアーが使う言葉を観察してみればわかるだろう。「正確性」とは原文の単語の字義や語感をすべて訳出できているかという基準であり、「わかりやすさ」とは日本語で書かれた作品の文章がもつ「自然さ」を訳文がどれくらい再現できているかという基準だ。こうした目的意識が読者の間で共有されている分野であるため、ノンフィクション翻訳では訳文の質の評価を機械翻訳の仕事を基準に行うという転換が起こりやすいと言える。

ただし、チョムスキーとノーヴィグの議論で見たように、確率論的モデルに従ってある文章の文法性（そしてその他の質的要素）を判断するという方法は、習熟した言語使用者がもつ一つの選択肢ではあっても、人間の言語に普遍的なメカニズムではない。よって、人間の言語活動には、ニューラル機械翻訳のような確率論的なプログラムには置き換えられないい何かが存在するはずだ。この「何か」の正体を「文学」「創作」などという曖昧な概念ではなく厳密な論考によって解明していくことが、近い将来に訪れるはずの機械翻訳全盛期におけるノンフィクション翻訳にとって重要な課題となる。それは10年後の書店で「機械翻訳」の棚からではなく「人間翻訳」の棚から訳書を買うときに読者が何を選択しているのかを明確にすることにもつながる。

気候危機の解決が組織立った人間生活の存続を可能にするための手段だとすると、そのようにして存続に成功した日常において人間が行うことを考えるための一つの切り口として、自然言語処理技術から見えてくる言語学的な課題は多くの示唆を与えてくれている。

2021年9月　早川健治

【ラ行】

【ワ行】

【アルファベット】

【マ行】

【ヤ行】

【ハ行】

【ナ行】

【サ行】

【カ行】

索　引

【ア行】

著者・訳者紹介

著者　ノーム・チョムスキー（Noam Chomsky）

1928年生。言語学者、批評家、活動家。アリゾナ大学言語学栄誉教授。『統辞構造論』（1957年）において言語学に「チョムスキー革命」をもたらし、その後も生成文法研究の発展を牽引し続けた。エドワード・ハーマンとの共著『マニュファクチャリング・コンセント』（1988年）では自由民主主義社会における思想統制のメカニズムを分析した。またベトナム反戦運動では中心的な役割を担い、それ以降も各地の独立メディアと協力して様々な草の根運動に協力し続けてきた。主に自国アメリカの国内外での強権主義に対して、アナーキズム思想と大量の歴史的資料に基づいて重厚な批判を展開している。存命中の学者としては世界で最も多く引用されている。ウェブサイト：https://chomsky.info/

著者　ロバート・ポーリン（Robert Pollin）

1950年生。経済学者。マサチューセッツ大学アマースト校経済学特別教授。オバマ政権のエネルギー省で2009年アメリカ復興・再投資法のグリーン投資分野の政策顧問を務め、公共投資としては世界史上最大規模となる約900億ドルという金額を運用し、世界最大規模の風力発電基地や最先端の太陽光発電所を含む10万件以上の事業に資金提供を行った。また国際労働機関（ILO）や国連工業開発機関（UNIDO）を含む多くの諸団体の顧問も歴任した。ウェブサイト：https://www.umass.edu/economics/pollin

聞き手　クロニス・J・ポリクロニュー（C.J. Polychroniou）

1957年生。政治経済学者、ジャーナリスト、著作家。グローバリゼーション、気候変動、環境経済学、新自由主義批判、そして欧米の政治経済の動向などのテーマについて1000本以上の記事と多くの著作を執筆し、欧米の大学や研究機関で教鞭をとってきた。

著者　Fridays For Future Japan

気候危機の公正な解決を目指す国際運動「未来のための金曜日」の日本勢。2018年8月にグレタ・トゥーンベリを筆頭に若い活動家たちが運動を立ち上げ、2019年2月には日本でも発足した。2019年9月の世界気候ストライキでは600万人から700万人ほどの人々が世界各地で行動を起こした。気候正義をキーワードに政策提言やグローバルアクションを行いつつ、国内外の労働者や少数派と連帯して活動を続けている。ウェブサイト：https://fridaysforfuture.jp/

訳者　早川健治

1989年生。翻訳家、著作家。著書に『Echo and Gróa: Philosophical Dialogues』（Dialectical Books）、英訳書に多和田葉子著『Opium for Ovid』（Stereoeditions）、邦訳書にヤニス・バルファキス著『世界牛魔人―グローバル・ミノタウロス』（那須里山舎）、アンドリュー・ヤン著『普通の人々の戦い』（那須里山舎）などがある。ウェブサイト：https://kenjihayakawa.wordpress.com/

ノーム・チョムスキー　ロバート・ポーリン
聞き手、クロニス・J・ポリクロニュー
気候危機とグローバル・グリーンニューディール
早川健治　訳

2021年12月25日　初版第1刷発行
2022年 1月 7日　初版第2刷発行
2022年 1月31日　初版第3刷発行
2022年 2月10日　初版第4刷発行

発行所　株式会社那須里山舎
発行者　白崎一裕
〒324-0235 栃木県大田原市堀之内625-24
電話 0287-47-7620　fax 0287-54-4824
http://www.nasu-satoyamasya.com/
印刷・製本　株式会社シナノパブリッシングプレス

ISBN 978-4-909515-06-3 C0030
定価はカバーに表示してあります。